デマ暴走

戦慄の捏造スキャンダル74

鉄人文庫

鉄人ノンフィクション編集部【編】

デマ暴走 戦慄の捏造スキャンダル74 ◉ 目次

第1章 デマ拡散

第2章 自作自演

第3章 記事捏造

第4章 やらせTV

第5章 科学者はウソをつく

第6章　伝説の作り話

第7章 国家権力のでっち上げ

※本書は、小社刊「戦慄の捏造事件ファイル」(2019年12月刊)の記事を改稿、文庫化したものです。
※本書に掲載した情報は2021年1月現在のものです。

第1章

デマ拡散

流言飛語がもたらした惨劇

関東大震災朝鮮人虐殺事件

世の中で言いふらされる確証のない噂話、根拠のない扇動的な宣伝、デマを「流言飛《りゅうげんひ》語《ご》」と言う。ＳＮＳが普及した現代では、いくら根も葉もない話でも、それが人々の関心を煽るものであれば一気に拡散、伝播し、取り返しのつかない事態を生み出す。たとえ後にその話が嘘とわかっても、いったん人々に刷り込まれた記憶は簡単に消去されない。

日本国内において、流言飛語がもたらした最も大きな被害は、今から１世紀弱も前の１９２３年（大正12年）９月に起きた。関東大震災時における朝鮮人の大虐殺。突然襲いかかった天災による混乱と恐怖のなか、何の根拠もない噂話に踊らされた群衆は暴徒と化し、関東一円の朝鮮人を無差別に殺害した。

１９２３年９月１日午前11時58分、東京都、神奈川県を中心とする南関東をマグニチュード７・９、震度６の巨大地震が襲った。昼食の時

間帯と重なったことから至るところで火災が発生。これに強風が加わり、旧東京市の43％が焼け野原となる。死者・行方不明者は実に約10万5千人。このうちの9割が火災による犠牲者だと言われる。

震災時、日本にはテレビはおろかラジオもなく、新聞だけが唯一のマスメディアだった。が、当時東京にあった16の新聞社は、地震発生により印刷機能を失い、さらに大火によって13社が焼失、報道機能は麻痺していた。

情報が遮断された状況下、人々の間に流言飛語が広まる。激震がまた起きるのではないか、津波がやってくるのではないか。そして当時、日本

1923年9月1日、震度6の地震が首都圏を襲い東京は壊滅状態に

にいた朝鮮人に対するデマ。曰く、彼らが暴動を起こしている、朝鮮人が日本人の女性を強姦しようとしている云々。作家の吉村昭著『関東大震災』（文春文庫）によれば、こうした噂は震災発生3時間後には自然発生的に流れ始め、人づてに拡散されたという。

一方、この悪質な流言は民衆の不満を朝鮮人に向けさせるため治安当局が仕掛けたという説もある。地震翌日の9月2日、壊滅的な被害を被り社会秩序が混乱に陥ったことを受けて内務省は戒厳令を宣告。各地の警察署に治安維持に最善を尽くすことを指示したのだが、この通達内容に「混乱に乗じた朝鮮人が凶悪犯罪、暴動などを画策しているので注意すること」いう文言が含まれていたのだ。

この根も葉もない通達を、かろうじて機能していた東京日日新聞などがさらに歪曲し、「朝鮮人が暴徒化した」「井戸に毒を入れ、また放火して回っている」などと報じた。その背景に、当時、在日朝鮮人に対する激しい差別感情があったことは言うまでもない。

流言の発端はともかく、震災でパニックに陥った民衆は朝鮮人の暴徒化を鵜呑みにし、軍・警察の主導で自警団を結成する。その数、関東全域で約4千。彼らは路上で通行人を尋問し、朝鮮人とわかるや容赦なく殺害した。手口は極めて残虐である。日本刀で斬殺する、竹槍や鉄の棒で突き殺す、場所によっては10人ぐらいずつを縛って並べ軍隊が機関銃で撃ち殺したり、まだ死んでいない人間をトロッコの線路の上に並べて石油をかけ焼き殺した例もあるという。

殺害されたのは朝鮮人ばかりではない。暴徒と化した群衆は、朝鮮人かどうかを判別するために国歌を歌わせたり、朝鮮語では語頭に濁音がこないことから、道行く人に「十五円五十銭」や「ガギグゲゴ」などと言わせ、うまく答えられないと、国籍関係なく暴行・殺害した。その中には中国人や日本人も含まれており、震災5日後の9月6日には、香川県からの薬の行商団15人が千葉県の旧「東葛飾郡福田村三ツ堀」で尋問を受

流言に踊らされた民衆が自警団を結成、朝鮮人を無差別に殺害した

け、言葉がおかしいとして、地元の自警団400人に暴行され9人の日本人が命を落としている。

虐殺は9月2日から6日頃をピークに、中旬頃まで続いた。犠牲者の数は500人とも2千人とも6千人とも言われる。数が定かでないのは政府当局が事件を隠ぺいしたからだ。朝鮮人が放火した事実も、井戸に毒を入れた事実も見つからなかった。にもかかわらず、流言や新聞の虚偽報道に扇動された日本人が多くの朝鮮人を殺害したという事

1923年10月22日付の読売新聞。見出しは仰々しいが、その記事内容は実質、朝鮮人による犯罪はなかったことを認めるものだった

讀賣新聞　大正十二年十月二十二日

震災の混亂に乘じ
鮮人の行つた兇暴
掠奪―放火―兇器―爆彈毒藥携帶
中には婦人凌辱もある
―但し一般鮮人は順良―司法當局談

震災の混亂、人心恟々たる隙に乘じて行つた不平鮮人の惡事は、誇大に報ぜられ人はその眞相を知るに苦しんでゐた、しかも當局が新聞記事を差止めた爲、當時記載する事ができなかつたが事件は二十日やうやく報導の自由を得た。之について司法當局は「今度の變災に際し、鮮人中不法行爲をしたものありと盛に宣傳されたが今其筋の調査した所に依れば、一般鮮人は概して順良であつたと認め得るが、一部不平の徒があつて幾多の犯罪を敢行したのは事實であると語つた

本所で掠奪した
鄭煕瑩

大倉倉庫に放火

凌辱を遂せず掠奪

少女を凌辱
ピストルを亂射して逃走す

実。日本政府はこれを公に認めるわけにはいかなかった。

10月22日、読売新聞は「震災の混亂に乗じ鮮人の行った兇暴」という仰々しい大見出しをつけた記事を報じた。が、その内容は司法当局が震災直後の大々的な「朝鮮人暴動」記事が実際には誇大宣伝だったことを認め、一般の朝鮮人は「概して順良」であり、犯罪行為を行ったのは「一部不平の徒」に過ぎないというものだ。ならば、当然、デマを流し広めた当局、新聞、群衆や、実際に虐殺に倘担した自警団は罰せられて当然だろう。しかし、噂がもとの朝鮮人虐殺事件に関して司法的な責任、道義的な責任などを負った人や組織は皆無だった。

女子高生の何気ない冗談が20億円以上の取り付け騒ぎに発展

豊川信用金庫破綻デマ事件

１９７３年12月13日、愛知県宝飯郡小坂井町（現・豊川市）の豊川信用金庫小坂井支店に、預金者約60人が突如訪れ5千万円近くを引き出した。１日に引き出される金額としては多すぎる異例の事態に戸惑った職員が預金者に尋ねると、巷で豊川信金が経営破綻するとの噂がまことしやかに流れているとのこと。全く身に覚えのない話だった。

翌14日、取り付け騒動は他の支店にも飛び火し、預金者がひっきりなしに窓口を訪れては預金全額を引き出していく。「行員の使い込みが原因」「理事長が自殺」などの噂も広がり、事態はますますエスカレート。信金側はマスコミに「豊川信金が潰れるというのはデマだ」と報道してくれるよう依頼する。15日、日銀と大蔵省が連名で豊川信金の経営を保障すると同時に、自殺を噂された理事長が自ら窓口に立ち事情を説明したことで、ようやく騒ぎは沈静化していく。が、２日間で引き出された預金はなんと20億円以上。当時の豊川信金の総預金額は約３６０億円だったというから、もう少し事態収拾が遅ければ本当に破綻していたかもしれない。

翌日から愛知県警の捜査が始まる。狙いは一点、誰がデマを流したか。犯人には信用毀損・業務妨害の容疑がかけられていた。しかし、警察は捜査を経て、あまりに意外な結末にたどり着く。時系列を遡って説明しよう。

取り付け騒ぎが起きる当日の13日午後、小坂井町内でクリーニング店を営むGさんHさん夫婦が、友人知人親類縁者、お得意さんらに「豊川信金の経営が危ない」という電話をかけていた。すでに豊川信金の自分の口座から180万円もの預金を引き出していた夫婦の話は説得力に富み、電話を受けた人々は豊川信金に走ると同時に、それぞれの知り合いに話を広げていく。その中にはアマチュア無線の愛好家もおり、「豊川信金破綻」の噂は無線を介して瞬く間に拡散した。

Gさん夫婦は、何を根拠にそのようなデマを流したのか。彼らには確証があった。電話をかけた当日

1973年12月13日、預金を下ろすため、
豊川信金小坂井支店の窓口に殺到する預金者たち

の午前11時30分頃、Gさんのクリーニング店に男が電話を借りにきた。店番をしていた妻Hさんは気軽に応じたが、電話の内容を聞くでもなく聞き、驚く。男が焦った様子で「豊川信金から120万円引き出しておいてくれ」と電話の相手に言っていたのだ。一度にそんな大金を下ろすとは尋常ではないと感じたHさんは、3日前に聞いた噂を思い出さずにはいられなかった。

10日、Gさんのクリーニング店に、親戚のFさんが美容院帰りに立ち寄り「豊川信金が危ないんだって」と言い残す。Fさんにその話をしたのは美容院店主のEさんで、Eさんは前日9日に店に来た客Dさんから、豊川信金の経営が危ないかもしれないと知らされる。Dさんは8日の夜、姪で地元の高校に通う3年生のAさんから電話で豊川信金の一件を初めて聞いた。Aさんは卒業後、豊川信金に就職が決まっていたのだが、「信用金庫って危ないの？」と叔父に尋ねた。彼女は単に信用金庫と言っただけだが、Dさんはそれが地元の人々の大半が預金している豊川信金のことを指し、同信金の経営が危ないと確信する。

Aさんが叔父に電話をかけたのは、8日の夕方に起きた些細な出来事がきっかけだった。当日の下校中、彼女は国鉄飯田線の車内で友人のBさんとCさんに「(就職先の)信用金庫は危ないよ」とからかわれる。危ないとは、同社の経営状態を指したのではなく、一般的に金融機関は強盗が入る危険性があると言っただけで、あくまで冗談だった。が、Aさんはそれを真に受け、当日の夜、叔父のDさんに相談の電話をかける。つまり、たどり着いた「豊川信金破綻デマ」の源泉は、女子高生同士の何の罪もない会話だったのである。

噂がデマであることを疑う人はおらず、多くの預金者が列をなした

偶然の重なりとはいえ、なぜこのような事態が起きたのか。その背景には、事件が発生する2ヶ月前の1973年10月、オイルショックをきっかけとする物資不足が噂されたことにより日本各地で起きたトイレットペーパーの買い占め騒動が発生、日本中で生活の不安が蔓延していたことが一つ。さらに事件の7年前の1966年、小坂井町の隣の豊橋市の金融機関が倒産し、出資者の手元に出資金がほとんど戻ってこなかったことも関係している。前出のクリーニング店夫婦もこのときの被害者で、二度と同じことは繰り返せないと、あくまで善意で豊川信金の噂を流したようだ。

悪意のある者は誰一人いないのに、人から人への噂で倒産騒ぎにまで発展した本事件は、デマの伝達経路が解明された稀有なケースとして、その後心理学や社会学のテキストにもなったという。

女子高生コンクリート詰め殺人の犯人という悪質なデマが10年ネット上に

スマイリーキクチ中傷被害事件

1988年11月、東京都足立区綾瀬で当時17歳の女子高生が不良グループの未成年男性4人に拉致され、40日間にわたり凄惨を極める集団リンチを受け死亡、遺体をコンクリート詰めにされ東京湾の埋め立て地に遺棄された。世に言う、女子高生コンクリート詰め殺人事件である。

事件から10年後の1999年、巨大ネット掲示板「2ちゃんねる」(現5ちゃんねる)に、この凶悪事件に関与していたとして1人のタレントの名が挙がる。スマイリーキクチ。当時「タモリのボキャブラ天国」などで活躍していた芸人で、掲示板には「人殺しは死ね」「白状して

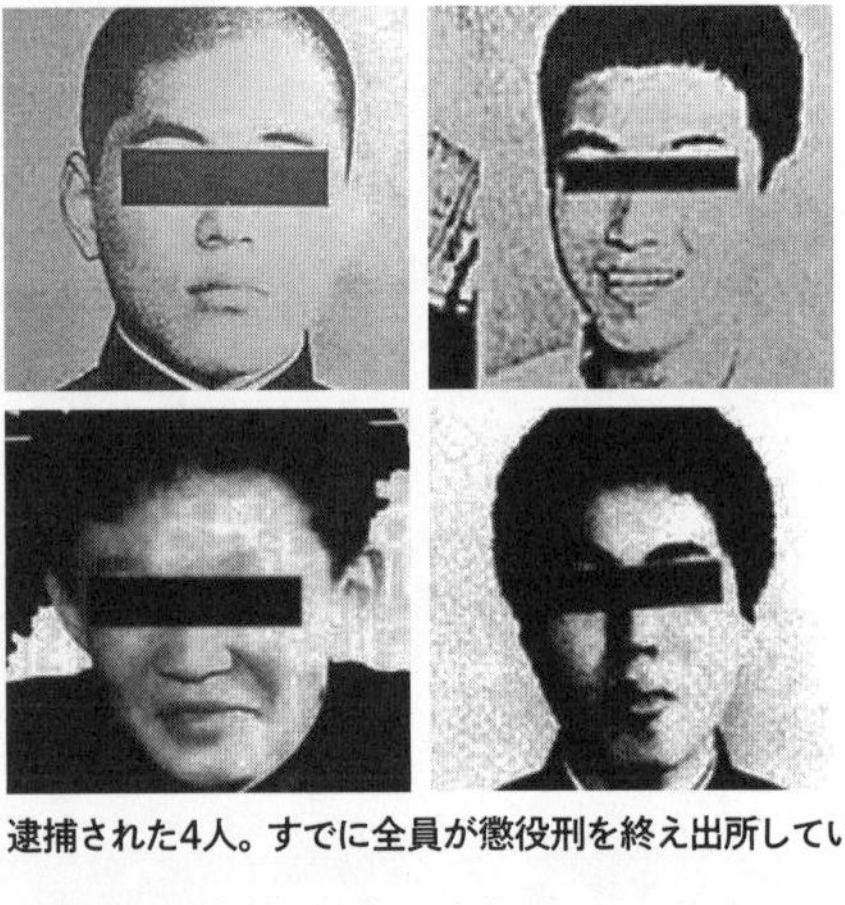

逮捕された4人。すでに全員が懲役刑を終え出所している

楽になれよ」など、あらぬ誹謗中傷の文言が書き込まれていた。

キクチ氏が事件に関係するという根拠は、事件があった足立区出身で、逮捕された犯人たちと同世代、さらには高校時代グレていたという3点だったが、もちろん本人には全く身に覚えがなく、しばらくは他人事として放っておいた。しかし、事態は収まるどころか、さらに悪化していく。2ちゃんねるで何者かがキクチ氏になりすまし「僕はスマイリー本人です。塀の中で罪は償ったのでもう勘弁してください」「私にも人権があります」などと書き込み、これを信じた者たちが、キクチ氏の所属する太田プロダクションに抗議の電話を入れたのだ。

対しキクチ氏は事務所の公式サイトで完全に噂を否定したが、逆に「火のないところに煙はたたない」「事件をもみ消そうとしている」と邪推されたばかりか、「殺す、死ね」といった脅迫的な書き込みや、「事件をライブでネタにしていた」といったデマまで出現。やむなく事務所の掲示板を閉鎖すると、今度はＣＭスポンサーに「殺人犯を出すな」と苦情の電話が入るまでにエスカレートした。

深刻な事態に、キクチ氏は自身への誹謗中傷が書き込まれた掲示板のページを印刷、40センチに及ぶ厚さになった紙の証拠物を手に警察へ相談に出向く。が、当時は警察もインターネットに疎く、「書き込みだけでは捜査できない」「誰もあなたのことを殺人犯と思っていない」「あなたはノイローゼだ」などと軽くあしらわれてしまう。

誹謗中傷が収まらず仕事が激減したキクチ氏にさらなる追い討ちがかかる。当時、元警視庁刑事としてワイドショーなどに出演していた男性コメンテーターが出版した本の中で「犯行グループの一人は出所後、お笑いコンビとしてデビュー」と記したのだ。まるでキクチ氏のことを犯人と言わんばかりの文章に影響されてか、その後、ネット上で「事件の被害者と同じ目にあわせてやります」「おまえの家族、恋人皆殺し」といった殺害予告がなされる。命の危険を感じたキクチ氏は再び警察を訪れるが、返ってきた答えは「実際に殺されたら捜査してあげるよ」という信じられないものだった。

絶望の淵に立たされたキクチ氏に希望の光が見え始めるのは2008年8月。警視庁組織犯罪対策課の男性刑事が事態を重く見て、本格的な捜査に乗り出す。その刑事はネット犯罪に詳しく、かつキクチ氏が関与したとされる女子高生コンクリート詰め殺人事件の捜査にも関わっていた人物だった。

キクチ氏は刑事の助言に従い、自身のホームページに次のような文章を掲げる。

「これからも、僕が綾瀬コンクリート殺人事件の犯人である、関与している、事件をネタにしたなどと事実無根の内容を書き込むのであれば、刑事告訴をします」

これにより、誹謗中傷を止めない者には、名誉毀損・脅迫容疑で摘発可能となり、実際、この警告文によって書き込みは激減する。が、それでも誹謗中傷を続ける者がおり、彼らに対して警察は裁判所から「捜索差押許可状」を取り、サイト運営会社に書き込みをした人物の個人情報の開示を請求。２００９年2月、身元が特定された1千人以上の中から、特に書き込み内容や脅迫回数などが明確に刑法に反していると判断された17歳から46歳までの男女計19人を一斉摘発した。

加害者の住まいは北海道から大分県まで全国に及び、職業もコンピュータプログラマー、国立大学職員、学生、専業主婦など種々様々。共通していたのは、キクチ氏とは一切無関係の立場ながら、デマを信じて「正義からやった」と供述したこと。そして、最終的に19人全員が不起訴処分になったことだ。

こうしてキクチ氏に対する誹謗中傷は収まった。と言いたいところだが、近年、ネットでの中傷被害に対する啓発活動を行う同氏に対し「売名行為」と非難する者もおり、２０１７年にはキクチ氏のブログのコメント欄に殺害予告が書き込まれ、予定していたテレビの生出演を中止する事態も起きている。

事件の闇は想像以上に深い。

被害に遭ったスマイリーキクチ氏。本当に怖かったのは、助けを求めた警察に相手にされなかったことだという。(写真は太田プロダクションの公式サイトより)

動物園や警察に問い合わせの電話が殺到

熊本地震「ライオン逃げた」ツイート事件

２０１６年４月14日21時26分、熊本市を震源とするマグニチュード６・５の地震（前震）が、翌15日深夜１時25分にマグニチュード７・３の地震（本震）が発生。倒壊した住宅の下敷きになったり土砂崩れに巻き込まれるなどして熊本県で計50人が死亡（直接死）した。

最初の地震が起きた直後の21時50分、ツイッターに１つのつぶやきが投稿された。

「おいふざけんな、地震のせいでうちの近くの動物園からライオン放たれたんだが　熊本」

書き込みとともにライオンが街を徘徊している写真がアップされていたこのツイートに対し、「中学生レベルのネタだな」「ネタでもこんなバカは逮捕しろ！」と即座にデマと見抜いたリプライが数多く寄せられる一方、「狩りに行こうぜ」「くまモン助けてー！」など

問題のツイート。
現在は削除済み

おいふざけんな、地震のせいで
うちの近くの動物園からライオン放
たれたんだが
熊本

と騒ぎに便乗する者も現れ、投稿は2万以上のリツイートを記録。投稿者は自分のツイートが大反響を呼んでいることに気を良くし、「やっべぇぇぇ、リツイート楽しいww」「2まんあざーっす！w」と投稿、批判に対しては「誰がここが熊本だと言った」などと応戦し、最後には「熊本の現状と勘違いされた方々勘違いさせて申し訳ないです！」と謝罪、ツイートを削除した。

ある意味、ツイッター上の「お祭り」のような状態だが、真剣に信じた人も少なからずいて、熊本市動植物園は100件を超える問い合わせの電話に追われ、ホームページで「動物は全て無事で脱走はありません」と説明。警察にも「ライオンが逃げているので避難できない」という相談の電話が相次いだ。

3ヶ月後の7月20日、熊本県警は、デマを流し動物園の業務を妨害した偽計業務妨害の容疑で、神奈川県在住の当時20歳の男性を逮捕した。調べに対し、男は「面白半分でやった。反省している」と供述。起訴は見送られることになった。

ちなみに、男性がツイッターにアップした画像は、南アフリカのヨハネスブルグで道路を閉鎖し撮影された映画のワンシーンで、写っている信号機などを見れば、そこが日本でないことは明らか。ネットでは、それをわかったうえで意図的にリツイートした者の罪も大きいとの非難も寄せられた。

「臓器売買目的の人さらい」の噂を信じた住民が暴徒化

「ワッツアップ」集団リンチ殺人事件

「ワッツアップ」はテキストや画像、音声、動画などがやり取りできるコミュニケーションアプリで、2020年8月現在、ユーザー数は全世界で約20億人。ソーシャルメディアとしては、フェイスブック、ユーチューブに次ぐ存在である。

国内全人口の30%、約4億人のワッツアップ・ユーザーがいると言われるインドで、2017年から2018年にかけて、ワッツアップがもとの凄惨な集団リンチ殺人が連鎖的に発生した。

きっかけとなったのは、2016年にパキスタン・カラチのNGO団体が制作した1本の動画である。バイクに乗った2人組が街中で1人の男児をさらって逃走。一緒に遊んでいた子供たちが大騒ぎするなか、ほどなくバイクが戻ってきて、さらった子供を降ろす。そして字幕が続く。

「パキスタン・カラチでは毎年3千人以上の子供が行方不明になります。子供から目を離さないで」

動画はあくまで児童誘拐防止対策のために作られた啓発目的のものだった。ところが、2017年、何者かがこの動画の後半部分を意図的に削除、ワッツアップに流したところ「臓器売買目的の〝人さらいギャング〟数百人が入国した」との根も葉もない噂とともに、瞬く間にインド国内に拡散していった。

インドの中でも、普段ネットに接する機会の少ない田舎の住民は「子供を狙った人さらいギャング」の噂を聞きパニックと恐怖に襲われる。そして事件は起きる。2017年5月、噂によって暴徒化した東部ジャヤカールカンド州の村民の集団リンチによって「人さらい」とみなされた7人が殺害されたのだ。

暴動はすぐに連鎖しなかったが、翌2018年に入ってから悪夢のような惨劇がインド中で次々に発生する。4月28日、南部タミル・ナードゥ州ヴェー

事件の発端となったパキスタンのNGO団体が制作した「児童誘拐防止対策」のための啓発ビデオ。ワッツアップで拡散された動画は子供が2人組の男にさらわれる前半部分だけで、男児がまた同じ場所で無事にバイクから降ろされる後半場面は意図的に削除されている

ルールで「人さらい」とされた30歳ほどの男性が地元住民の暴行を受け死亡。さらに5月9日には、同じタミル・ナードゥ州のティルヴァンナーマライで、自動車で旅行中に通りかかった家族連れが、地元の子供にチョコレートをあげたところ、「人さらいギャング」とみなされ、住民による集団リンチの果てに65歳の女性が殺害され、他の家族も重傷を負った。同日、同州プリカットでも、45歳のホームレスの男性がやはり「人さらい」とされ殺害。6月11日にも、アッサム州で住民に道を尋ねた男性2人が誘拐犯と睨まれ虐殺された。

以後も「人さらい」の噂はインドの広域に拡散、地元住民による殺害や暴行事件が相次ぎ、2018年末までに計46人が犠牲になったと報道されている。


ワッツアップを通じたフェイクニュースによる集団リンチ殺人は、メキシコでも発生している。同国で2018年7月頃から流された噂はインドと同じようなものだった。

「どうか皆さん気をつけて。子供誘拐犯が大勢、この国に入った。どうやら犯人たちは、臓器売買にかかわっているらしい。ここ数日で、4歳、8歳、14歳の子供たちが姿を消した。死体になって見つかった子もいる。内臓が抜き取られた形跡があった子もいる。腹部が開かれ、中は空っぽだった」

デマが拡散していった最中の同年8月29日、プエブラ州アカトランの郊外に住む43歳の農夫の男性と21歳の甥が井戸の修繕のための資材を買おうと街に出向いたところ、地元住民に呼び止められ、警察に連れていかれる。誘拐犯とみなされたのだ。

警察署の前に瞬く間に集まった100人を超える住民に対し、警察は彼らが誘拐とは無関係であると説明する。が、噂を信じ切っている群衆は納得せず、自分のスマートフォンから現場の様子をフェイスブックでライブ配信する者まで現れた。

ヒートアップする群衆はほどなく警察署の入り口にある狭い門を無理やりこじ開け、連行された2人を外に引きずり出す。そして、地面に押しつけ殴打した挙げ句、2人の体にガソリンをかけ焼き殺した。黒く煤けた遺体は2時間もの間、路上に放置されて、その間、群衆は事もなげにスマートフォンのカメラを2人に向けていたそうだ。

何の根拠もないデマを信じ、怪しいと睨んだ者を暴行・殺害した一連の事件は、関東大震災における朝鮮人虐殺（本書00ページ参照）と全く同じ構図である。

2018年8月29日、メキシコ・プエブラ州アカトランで誘拐犯とみなされた男性2人に火がつけられた瞬間。多くの群衆がその様子を撮影しようとスマホを高く掲げている

関空閉鎖時に流れたフェイクニュースが死の原因

台湾ベテラン外交官自殺事件

2018年9月14日、在大阪台湾領事館の代表・蘇啓誠《そけいせい》氏（当時61歳）が大阪府豊中市の公邸で首を吊り自殺した。家族に宛てた遺書には、自殺の10日前、台風による関西国際空港閉鎖時の対応を台湾国民から痛烈に批判されたことを苦にする内容が記されていたという。が、蘇氏の死は、一つのフェイクニュースが暴走した果ての悲劇だった。

同年9月4日、関西地方を台風21号が襲った。関西空港では大規模浸水被害が発生し滑走路が閉鎖、また空港の連絡橋にタンカーが激突したことで空港への行き来が事実上不可能となり、台湾人や中国人を含む3千人の旅行者が空港内に取り残された。

翌5日、複数のバスが空港に到着し旅行者の救出が始まる。SNS上に、ある投稿が出回るのはその直後のことだ。

「中国の領事館が専用のバスを手配し、空港から連れ出してくれた」

これを受け、台湾のネットユーザーはSNS上で台湾外交当局を激しく非難する。

「中国は積極的なのに、台湾ときたら…」「台湾の駐日事務所は、私たちのために何をしてくれた？」「台湾の外交官はクズばかり」「救援のチャーター機を出せ」

過熱するネット情報に台湾のメディアや政治家も呼応し、駐日事務所の無策ぶりを一斉に批判し始める。

この頃、在大阪台湾領事館は旅行者からの問い合わせに追われ、代表の蘇氏も宿の確保や航空券の手配に忙殺されていたが、そのことが台湾の社会に広く伝わることはなく、同氏は批判の矢面に立たされる。

しかし、ネット情報の真偽を確かめる台湾のＮＰＯ・ファクトチェックセンターの調査により、中国領事館が自らバスを手配し自国民を優先的に避難させたというのは全くのデタラメであるという事実が発覚した。当時、関西空港への道路が閉鎖されていたことから中国の領事館がバスを派遣するのは不可能で、実際、バスを手配したのは関西空港だった。

なぜ、このようなデマが流布したのか。９月５日、空港に到着したバスに外国人旅行者が搭乗する際、中国人だけが振

自殺した蘇啓誠氏。大阪大学の大学院で日本語を学び、卒業後、台湾と日本の架け橋になりたいと外交官に。30年近く日台関係の最前線で活躍しており、事件の2ヶ月前まで在沖縄台湾領事館の代表を務めていた

り分けられていた。これは、中国領事館が空港の対岸にある泉佐野市内のショッピングモールにバスを手配し、空港から避難してきた自国民を乗り換えさせるよう要請していたからだ。

　この避難手続きにより、誤解が生じる。関空でのバス搭乗の際、行き先が異なる中国人旅行者（他の旅行者は南海電鉄の泉佐野駅に送られた）を振り分けるために、中国人はパスポートの確認を受けていた。これを見て、中国人を含む一部旅行者から「中国人だから優遇されている」「領事館が尽力したから優先的に避難できる」といった声が上がり、さも中国領事館が空港にバスを手配したか

関西空港には700名以上の中国人旅行客が取り残されてたようですが、大阪の中国領事館が早々にバス15台チャーター、昨日の早朝には自国民救出完了してたみたいですね

日本国内からも中国の対応を賞賛する声がTwitterなどに数多く投稿された

[redacted]

フォローする

関空で孤立した件。緊急時の中国の凄さは空港内の中国人だけが電話やネットを問題なく使用できてた事だけでは無い。（別ツィート参照）

破壊されて通行禁止になってた連絡橋を堂々と通行し。何十台ものリムジンバスを乗り入れ。疲れ果ててる日本人や他国（台湾人も含む）を尻目に全員を避難させた。

中国メディア『人民網日本語版』に「中国人観光客をバスに誘導する在大阪中国総領事館の総領事」というキャプションとともに掲載された画像。こうした情報もデマを拡散させた要因の一つである

のごとくSNS上で流布され始めたのだ。

さらに、このとき旅行者が撮影した動画が数多くSNS上に出回ったことも誤解に説得力を持たせた。その中には中国領事館の職員とされる人物がバス車内で避難活動を行う映像も含まれており、これを見た台湾メディアも事実確認することなく、台湾領事館を一方的に非難する報道を繰り返した。

蘇氏が自殺するのは、SNSやメディアが流す情報がデマであることが判明した後だった。同氏がその事実を知っていたかどうかは定かではないが、自国民を救えなかったことに対する責任から命を絶ったのは明らか。蘇氏の死を受け、台湾総統府は「深い悲しみとやるせない思い」だと表明。ある立法委員は、フェイスブックに掲載した追悼コメントで「世論に殺されたも同然だ」と指摘した。

毒殺されたはずの妻は生きていた
大阪・堺「偽メール」殺人事件

２０１９年４月14日、大阪府堺市の府営住宅で奇妙な殺人事件が発生した。

加害者は当時57歳の無職の男性U。殺されたのは同53歳の女性Kさん。犯行は電気コードを使っての絞殺だった。Kさんは前日の13日にもケガを負わされていた。その日の加害者はUではない。Uの妻であるW（同51歳）の知り合いの男性会社員Y（同53歳）による暴行だった。

彼らの関係はややこしい。被害者のKさんと、Uと妻Wは以前からの知り合いで同じ集合住宅に住んでいたものの、Uが同居していたのは妻ではなくKさん。２０１８年10月、そこにWの知り合いのYが加わった。

Uの供述によると、４人はネットゲームで繋がっていたが、Wが大事にしていたアイテムをKさんが勝手に捨てたことでSNS上で口論になり、Wからその相談を受けたYがKさんに暴行を働いたのだという。

翌14日の事件当日、YからUに次のようなメールが届く。

「Wが先ほど死んだ」

「Wが亡くなったのは、ファミレスのトイレでKがWに大量の薬を無理に飲ませたからだ」
「Kの両目を潰してしまえ」
妻が殺されたと知ったUは、部屋で寝ていたKさんに「Wを殺したのか?」と問い詰めた。が、眠っていたKさんが取り合わなかったため、カッとなり殺害に及んだそうだ。

警察に自首したUはそこで驚愕の事実を知る。妻がまだ生きている、と。つまり、Yが送ったメールは全くのデタラメだったにもかかわらず、Uはそれを鵜呑みにしKさんを殺害していたのだ。

Yが偽メールを送ったのは、Wとトラブルを起こしていたKさんを懲らしめる目的だったことは間違いないが、Uがメールの内容を信じ実際に行動を起こすことまで想像していたかどうかはわからない。報道によると、事件から約20日後の5月5日、大阪府警はUに犯行を唆した傷害致死教唆の容疑でUとWを逮捕したそうだ。

事件を報じるFNNニュース

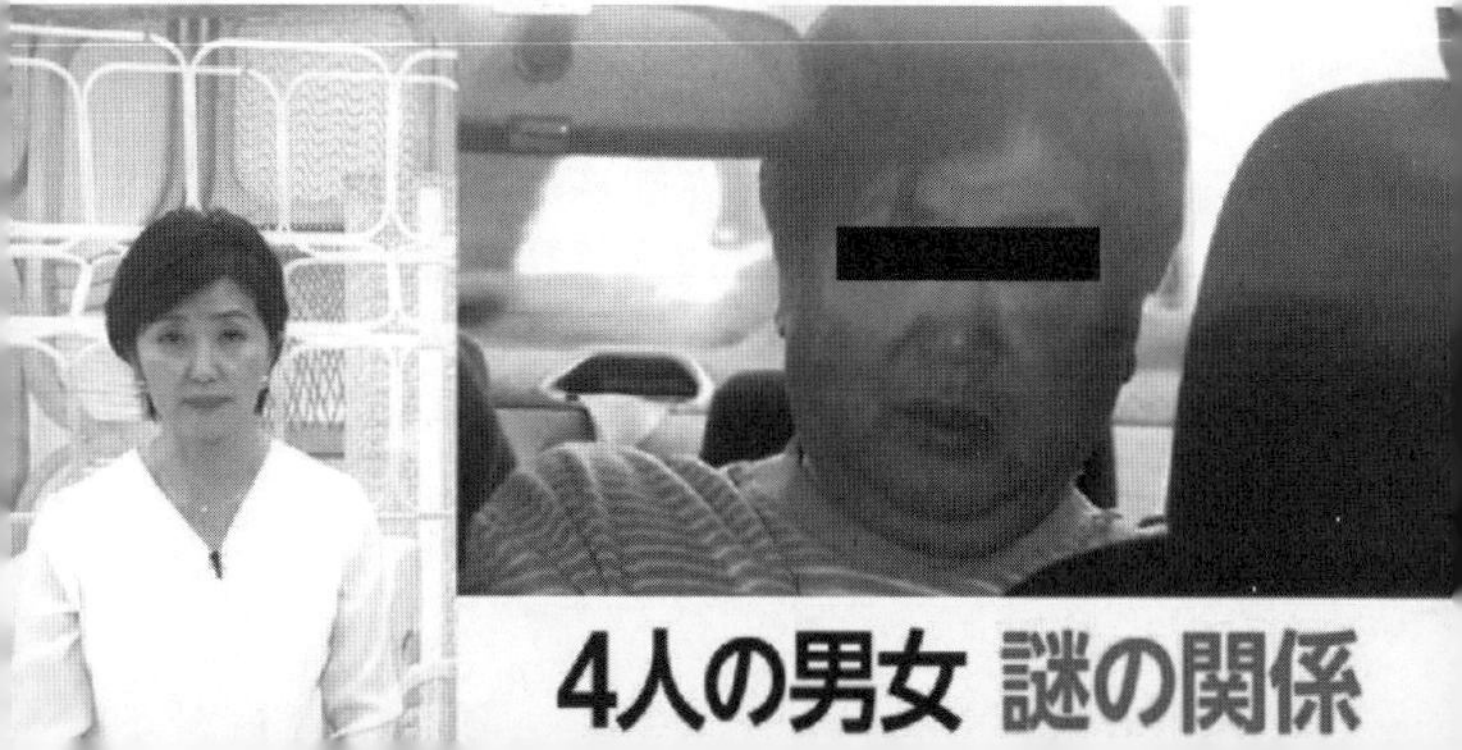

容疑者の氏名が公表されていないという理由だけで

川崎児童殺傷事件「犯人は在日」ヘイトデマ

２０１９年５月28日午前７時40分過ぎ、神奈川県川崎市登戸の路上でスクールバスを待っていた小学生らが刃物で襲われ２人が死亡、18人が重軽傷を負った。犯人は市内に住む51歳の男性で事件時に自殺したが、神奈川県警が容疑者の特定作業などを終えて氏名を発表したのは、同日夜。その間、ＳＮＳ上で根も葉もない書き込みが相次いだ。「犯人は在日」である、と。


「犯人の名前が出ないのは？　在日？」

「川崎は在日の犯罪が多く犯人は在日かもしれません」

「川崎か…在日の可能性… 異文化共生・移民政策を進めるとこんな惨劇が日常茶飯事な国になりますね 欧州みたいに」

「犯人、川崎市麻生区の51歳とわかってるのになんで名前出さないの？　いつもの、在日外国人に配慮するアレなのか？」

「川崎の殺傷事件 また在日韓国人の仕業だろ。在日韓国人は日本から追い出すべきだよ。沖縄にもいらない。反日感情もってる中国人と韓国人は出てってよ」

　在日外国人に対するヘイトデマは事件直後からツイッターなどに続々と投稿された。こうした噂を拡散させたのが「トレンドブログ」だ。検索エンジン対策に優れ、ユーザーが検索しそうなキーワードを先回りして記事化、検索からユーザーを流入させページビューを得ることで、

2019年5月28日、バスを待っていた小学生らが襲われた川崎市登戸の現場。犯人は51歳の日本人だったが…

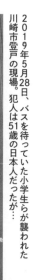

広告収入を稼いでいるとみられるブログ群だ。ただし、その内容は、他のサイトの記事のコピペや、単なる憶測に留まっていることが多い。

この事件では、こんな記事が掲載された。

《川崎市登戸事件の犯人は韓国人（在日）だった？　顔や名前はまだ？　画像や動画は？住所は多摩区登戸新町？》

《顔画像やフェイスブックは？　国籍は？　在日韓国人が川崎登戸の通り魔事件の犯人か》

タイトルは思わせぶりだが、記事の最後に「犯人が在日とは断定できない」と記す周到ぶり。それでも、見出しの内容だけで誤解したネットユーザーがSNSでデマを拡げていったのだ。

現在の日本では、こうした凶悪犯罪が起きるたびに、犯人が在日韓国人・朝鮮人だとする差別的なデマやヘイトスピーチが飛び交う事態が恒例となっている。

例えば、2016年7月に相模原の障害者施設で起きた大量殺人事件でも、SNS上に「犯人は在日」「在日によ

るテロ」などという根拠のないデマが流れた。発信するのは主に「ネトウヨ」と呼ばれる人々で大半が匿名だが、時に影響力を持つ著名人がヘイト発言をＳＮＳに投稿することもある。

２０１６年5月、東京都小金井市の女子大生が男に首や胸など20ヶ所以上を刃物で刺された事件で、旧皇族の家系で政治評論家の竹田恒泰氏は、犯人の男の名前が「自称」と報道されたことについて「なぜ本名で報道しない？　ここが日本のメディアのおかしいところ。臆する必要はない。

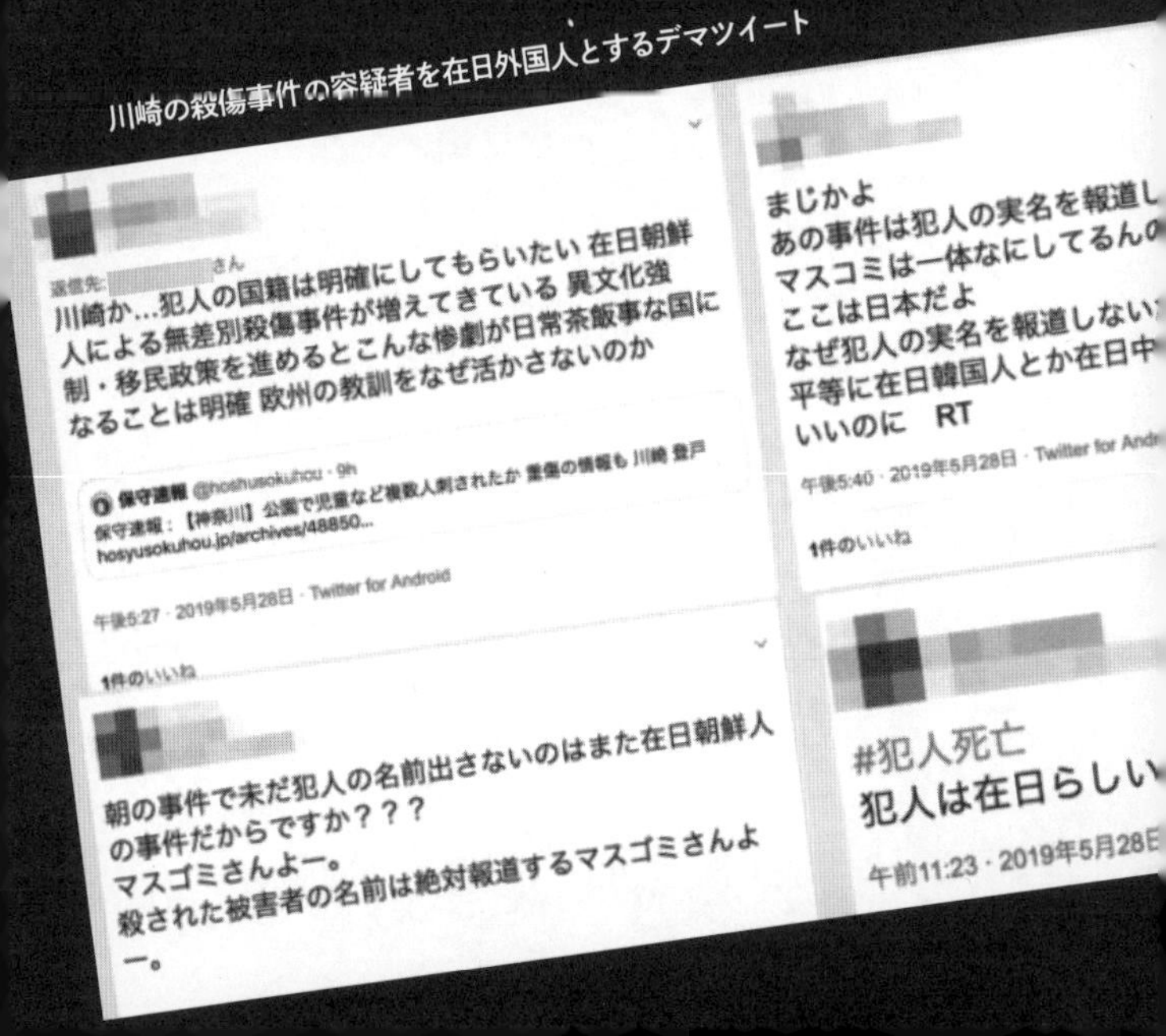

返信先: さん
川崎か…犯人の国籍は明確にしてもらいたい 在日朝鮮人による無差別殺傷事件が増えてきている 異文化強制・移民政策を進めるとこんな惨劇が日常茶飯事な国になることは明確 欧州の教訓をなぜ活かさないのか
保守速報 @hoshusokuhou · 9h
hosyusokuhou.jp/archives/48850...
午後5:27 · 2019年5月28日 · Twitter for Android
1件のいいね
朝の事件で未だ犯人の名前出さないのはまた在日朝鮮人の事件だからですか？？？
マスゴミさんよー。
殺された被害者の名前は絶対報道するマスゴミさんよー。
まじかよ
あの事件は犯人の実名を報道し
マスコミは一体なにしてるんの
ここは日本だよ
なぜ犯人の実名を報道しない
平等に在日韓国人とか在日中
いいのに　RT
午後5:40 · 2019年5月28日 · Twitter for Andr
1件のいいね
#犯人死亡
犯人は在日らしい
午前11:23 · 2019年5月28日

川崎の殺傷事件の容疑者を在日外国人とするデマツイート

本名で報道すべき。これは私の憶測だが、容疑者は日本国籍ではないと思われる」とツイッターに投稿。無根拠に犯人が在日朝鮮人、韓国人であると示唆しヘイトを煽った。

　同様に作家の百田尚樹氏も、2016年11月、千葉大医学部の学生3人が集団強姦致傷容疑で逮捕された事件で当初氏名が未公表だったことについて、自身のツイッターで「犯人の学生たちは大物政

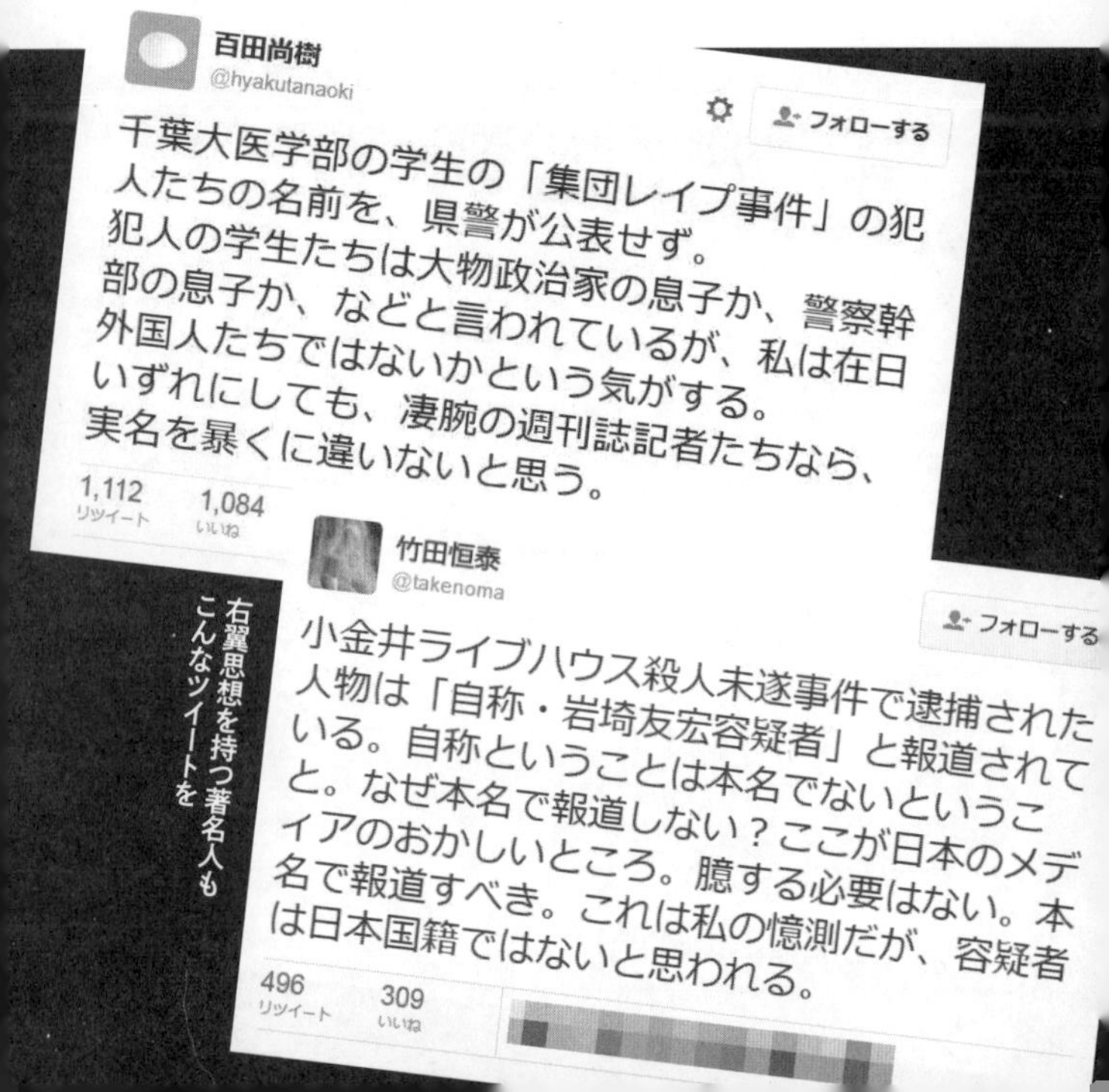

@hyakutanaoki

人たちの名前を、県警が公表せず。

いずれにしても、凄腕の週刊誌記者たちなら、
実名を暴くに違いないと思う。
1,112 リツイート
1,084 いいね

@takenoma

小金井ライブハウス殺人未遂事件で逮捕された
人物は「自称・岩埼友宏容疑者」と報道されて
いる。自称ということは本名でないというこ

496 リツイート
309 いいね
右翼思想を持つ著名人も
こんなツイートを

治家の息子か、警察幹部の息子か、などと言われているが、私は在日外国人たちではないかという気がする」とツイート。これには、何ら根拠のない差別発言であるとの多くの批判が寄せられ、事実、警察は後に日本人の容疑者3人の氏名を正式に発表した。が、百田氏は「私は犯人が公表されない理由の一つを推論したにすぎない。しかも民族も特定していない。こんな言論さえヘイトスピーチなのか」と反論。あまりに醜い言い訳に再び非難が浴びせられた。

常磐自動車道あおり運転「ガラケーの女」デマ拡散事件

全く無関係の女性の実名と顔写真が

2019年8月10日、茨城県守谷市の常磐自動車道で、1台のBMW（後に代車と判明）が、当時24歳の男性会社員が運転する車に対し蛇行運転や割り込み、急ブレーキなど〝あおり〟を繰り返した挙げ句に車を停めさせ、BMWから降りてきた男が会社員の顔を数発殴打するという悪質な事件が起きた。

会社員の車載カメラには、暴行を加える男の様子や、女が被害者を携帯電話（ガラケー）で撮影する姿が捉えられており、その映像はテレビのワイドショーなどが連日放映。世間の注目を浴びるなか、事件から8日後の18日、茨城県警が同43歳の男性会社役員を傷害容疑で、車に同乗していた交際相手の女性（同51歳）を男を匿っていたとして逮捕した（2020年10月、男に対して懲役2年6ヶ月、執行猶予4年の判決が下った）。

まだ記憶に新しいこの事件で、全く関係のない1人の女性が酷いデマ被害に遭ったこと

テレビでも繰り返し放送された映像。男性の身元が特定された後、ネット上で、携帯電話で被害者を撮影する「ガラケーの女」の正体捜しが始まった

をご存じだろうか。

車載カメラの映像を見てわかるとおり、あおり運転を行った2人は事件時、サングラスをかけており身元は不明だったが、茨城県警は16日、容疑者の男を特定し全国に指名手配をかける。では、一緒に乗っていた女は誰なのか。ほどなく「ガラケーの女」の身元捜しが始まり、17日未明よりツイッターや5ちゃんねる、まとめサイトなどに、都内在住の女性経営者の名が挙がる。

「あおり運転のおっさんと、同乗していた○○容疑者」

「○○（犯人の男）と○○、どこにでもいそうな、不細工キチガイバカップルです」

アップされた投稿や記事には、容疑者の男とともに、女性経営者の実名と顔写真が晒されていた。

後に代理弁護人とともに記者会見を開いた女性経営者は、被害の様子を次のように語っている。

「私がまだ寝ているとき、友人から連絡が届いていました。一言『ネットで晒されているよ』と。何のことか全然わからない。URLを教えてもらって、見たら本当に私の名前と顔が出ていました。状況が飲み込めず、どうしてこうなっているのか、また今後どうなるのかわからずパニック状態でした」

この後、女性のインスタグラムには誹謗中傷が相次ぎ、彼女は18日、自身が経営する会社のサイトに事実無根であると声明を発表。その日のうちに本物の「ガラケーの女」が逮捕されたことで、事件と完全に無関係だったことが証明される。

いったい、なぜこのようなデマが流れたのか。SNS上で件の女性が「ガラケーの女」とされた根拠は、暴行事件を携帯電話で撮影していた女のサングラスをつけた顔や服装が、女性経営者がインスタグラムで公開していたものと似ていたことと、容疑者の男が女性のアカウントをフォローしていたことだったとされる。

8月23日配信の朝日新聞デジタルの記事によれば、デマに荷担した大学生が電話取材に

[redacted] 8月17日

あおり運転のおっさん・[redacted]と同乗していた[redacted]容疑者。

この鼻で[redacted]は図々しいな。
ハンマーヘッドシャークなんは貼り付けやがって。

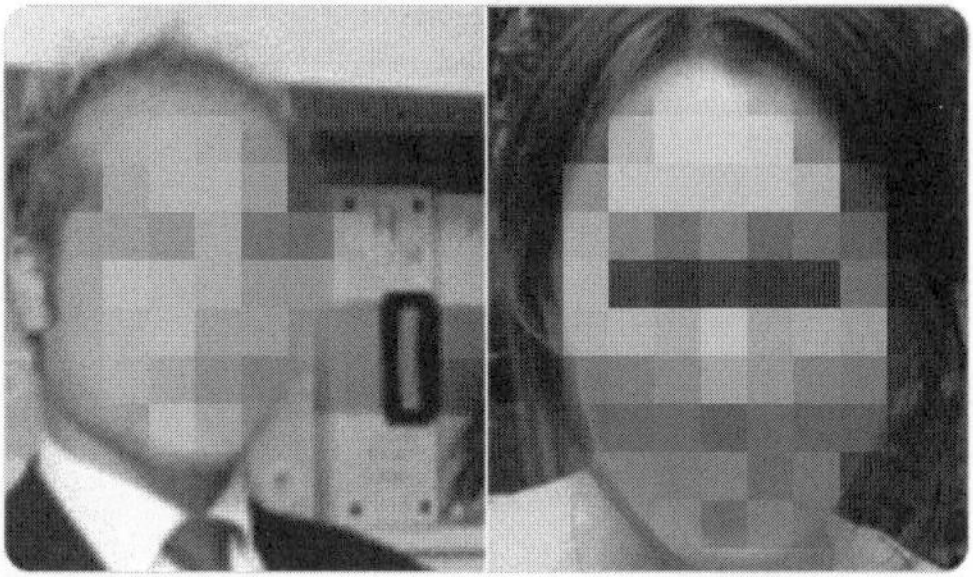

[redacted]

[redacted]に[redacted]、どこにでもいそうな、不細工キチガイバカップルです。この二人の友人や家族、親類や仕事関係者は早くこの二人と縁を切る事をお勧めします。

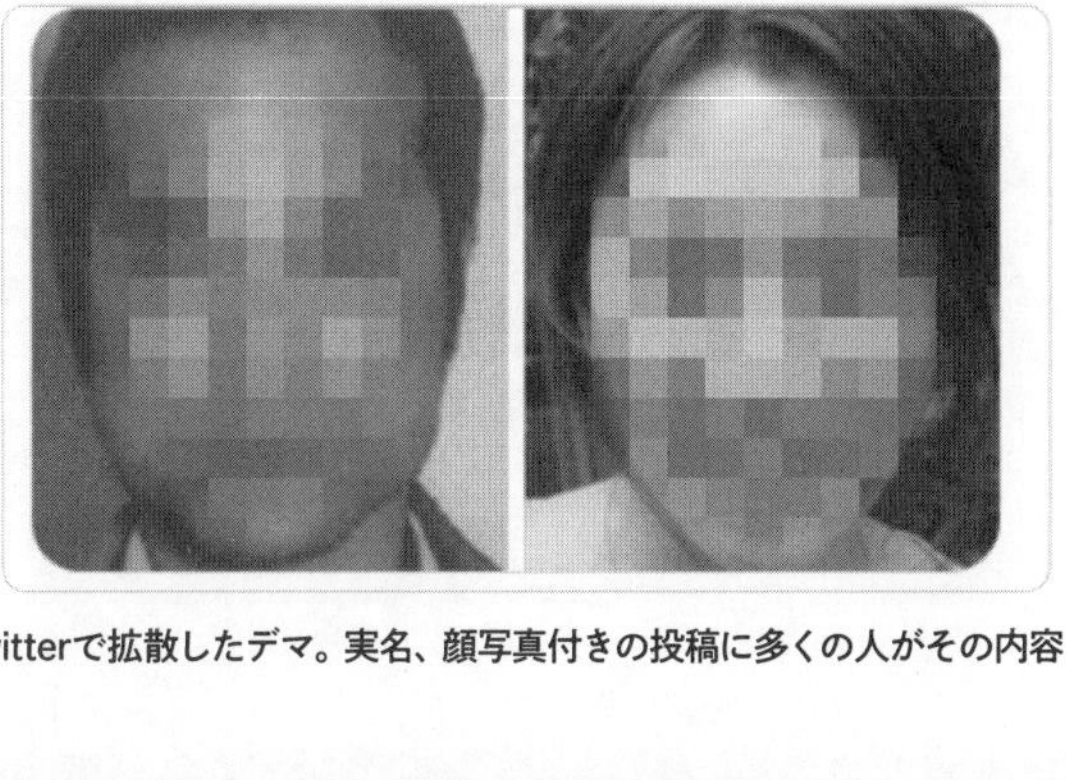

Twitterで拡散したデマ。実名、顔写真付きの投稿に多くの人がその内容を信じた

答え、容疑者の男性がインスタで女性をフォローしていることに加え、2人の女性の歯並びやネックレスが似ていたことなどを「証拠」に「犯人特定」としたツイートを見つけ自らも投稿。「自分も運転をするので、あおり運転は身近な問題。絶対に許されない事件の犯人を、メディアよりも早く特定するという高揚感があった」と話したそうだ。

記者会見で女性はデマ投稿者、それをもとに拡散した人、そしてデマ情報をリツイートした人に対しても、法的措置をとることを表明。実際に、自身のフェイスブックでウソの情報を引用する形で顔写真や名前を掲載した愛知県豊田市の市会議員に、100万円の慰謝料を要求する訴えを起こしている。対し市議は2019年11月5日、記者会見を開き女性に謝罪、市議を辞職することを発表した(2020年8月、元市議に33万円の賠償命令が下った)。

身の潔白が晴れた2019年8月23日、記者会見を開いた被害女性

第2章 自作自演

湾岸戦争勃発のきっかけにもなった世論操作
世界を騙した「ナイラ証言」

米ソの東西冷戦終結（1989年）後、初めて起きた世界規模の戦争が1991年の湾岸戦争である。イラクの夜空を飛び交う多国籍軍のミサイル弾映像に、心底、恐怖した人も多いだろう。が、その背景では、アメリカ国民に戦争を決意させるため、米政府とクウェートによる自作自演の反イラク世論扇動操作が行われていた。

湾岸戦争のきっかけは1990年8月2日、イラク軍が隣国クウェートを侵攻したことにある。サダム・フセイン大統領率いるイラクは、8日にはクウェートの併合を発表。これに対してすぐに国連安保理が反応し、イラクへ即時撤退を求めた。

しかしイラクは、クウェートから脱出できなかった外国人を自国内に強制連行して人質にするなどしたため、11月29日、アメリカとソ連が参加して「武力行使容認決議」を可決。翌1991年1月17日より、アメリカをはじめとした34ヶ国からなる多国籍軍がイラクへの爆撃「砂漠の嵐作戦」を開始したのである。これが湾岸戦争の始まりだ。

問題は、イラクへの武力行使容認決議が可決に至った経緯である。当初、アメリカ国内は反戦の意志で固まり、開戦に積極的だったブッシュ政権も世論を無視することは不可能だった。ところが、これを突き動かす事態が起こる。1990年10月10日、アメリカ下院の聴聞会でクウェートから逃げてきたとされる当時15歳のクウェート人少女「ナイラ」が、イラクの蛮行を証言したのだ。

「私がボランティアとしてクウェートの病院で働いていたとき、銃を持ったイラク軍兵士がやってきて、保育器に眠っていた赤ちゃんたちを次々冷たい床に放り出して皆殺しにしたんです」

少女が涙ながらに多くの赤ん坊が殺されたと訴えるこの証言映像はABCやNBCなどのテレビ局を介して全米に繰り返し流され、ブッシュ大統領も国連や議会、テレビなどで幾度となく彼女の話を引用。すると、アメリ

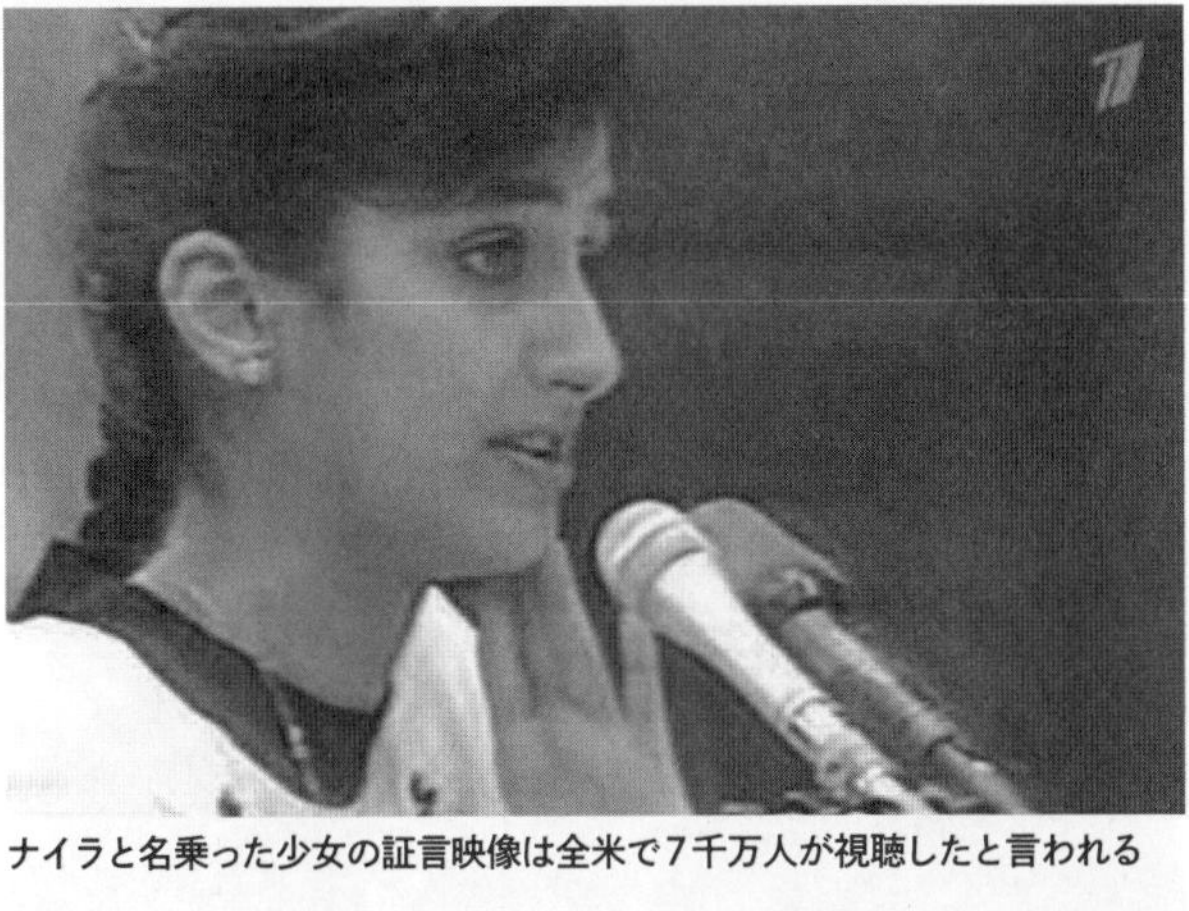

ナイラと名乗った少女の証言映像は全米で7千万人が視聴したと言われる

カ国民に反イラク反フセイン感情が喚起され、「サダム・フセインは酷すぎる」「この戦争だけはやらなければならない」と、世論は武力行使支持の方向に傾いていく。

さらに、ナイラ証言に輪をかけたのが、世界中に配信された「油まみれの水鳥」写真だ。石油が流れ出した海に佇む、体中にベットリ真っ黒な原油がこびりついた水鳥。アメリカは、これをイラクがわざと原油を海に流出させた〝環境テロ〟だと説明。世界はこの写真により、フセインの暴挙を一刻も早く止めなくてはならないと一致団結し、開戦に突き進んでいったのである。

ところが、湾岸戦争終結（1991年2月28日）後、とんでもないことが判明する。水鳥を汚した原油の流出は、実はアメリカによるタンカーへの誤爆が原因だった。つまりアメリカは、自らの失敗をフセインの環境テロに仕立てていたのである。

さらにナイラと名乗った少女の証言も、ＡＢＣテレビ

少女はクウェート王族に属し、1990年当時の駐米大使サウード・ビン・ナシル・アル・サバの娘だった。左から少女、母親、大使

や『ニューヨーク・タイムズ』の調査報道により、クウェートと米政府が仕掛けた、国民を戦争に駆り立てるためのキャンペーンだったことがわかった。実は少女は、当時クウェートの駐米大使サウード・ビン・ナシル・アル・サバの娘ニジラ・アル・サバで、アメリカ生まれのアメリカ育ち。クウェートへは一度も行ったことがなかった。

しかも、彼女が行った証言の内容自体が真っ赤なウソだった。劣勢のクウェートが莫大なオイルマネーを原資に、世界最大と言われるアメリカの広告代理店ヒル&ノウルトンに依頼。証言の台本を書いたのも、泣く演技を指導したのも、ブッシュの親友で政治顧問だった男が経営する同代理店だった。少女は何度もリハーサルを繰り返して本番に臨んだのだという。

湾岸戦争とそれに続くイラク戦争で判明したのは、イラクに「大量破壊兵器がある」「アルカイダと関係がある」という米政府の主張がウソだったという事実だけである。

兵士の慰問に訪れたジョージ・ブッシュ米大統領。ナイラ証言は、開戦に積極的だったブッシュの大きな後押しとなった

豪ハネムーン花嫁失踪事件

原因はマリッジブルーか？ 元上司との不倫か？

1992年12月、オーストラリアに9泊10日のハネムーンに出かけた新婚カップルの花嫁（当時25歳）が現地で突然、姿を消した。事件は、日本に帰る前日12月7日に起きる。この日夫婦は午前中にシドニー市内をバス観光し、午後の自由時間は別々に買い物に出かけた。が、待ち合わせ時間の15時半になっても女性が姿を現さない。新郎はＪＴＢとも相談し市内を捜したものの見つけられず、事故か事件に巻き込まれた可能性もあるとみて、在シドニー日本国総領事館と現地警察に届け出た。

心配する花婿に、新婦から電話が入るのは当日23時過ぎのことだ。

「車で連れてこられてどこにいるのかわからない。親切なオーストラリア人に助けられた。自分のことは捜さないでほしい。心配はいらない。自分で何とか帰る」

女性は興奮した口調で一方的に話し、30秒ほどで電話を切った。警察は当初単なる行方不明と睨んでいたが、彼女に消息を絶つ理由がないため、9日には誘拐事件とみて捜索を開始したと発表。新郎も現地に残り、地元のテレビに出演し捜索への協力を呼びかけた。

事件はあっけなく解決する。11日早朝、警察がシドニー市外のモーテルに1人で宿泊していた彼女を保護したのだ。同日夜、新郎新婦が揃って記者会見。新婦は「大変申し訳ない。軽率な行為を深く反省しています」と涙を浮かべながら謝罪、結婚に不安を抱いての失踪だと説明した。つまり、失踪当日の夜、新郎にかけた電話は狂言だったというわけだが、モーテルを予約したのが、かつて新婦が働いていた会社の上司だったため、不倫を疑う声も浮上。12日の成田空港での帰国会見で婚姻継続を望んでいた新郎はその後、離婚を決意したと報じられた。

当時の騒動を報じた雑誌『FRIDAY』の記事

豪州ハネムーン「花嫁失踪事件」主役二人の"その後"

▲帰国後、揃って会見を行う二人。夫の吉宏さんは終止憮然とした表情

……に滞在中の小倉恵美子さん。この時すでに心の中では……

新婚旅行先のオーストラリアで、日本人花嫁が失踪するというショッキングな「事件」が起こった。現地警察が捜査に乗り出し、日本でも連日報道される大騒ぎとなったが、幕を閉じてみると——。「事件」が起こったのは、12月7日。新婚旅行でシドニーに滞在中の藤枝吉宏さん(29)から、妻の小倉恵美子さん(25・未入籍)がショッピングに行ったまま戻らない、と現地警察に捜索願が出された。その夜、恵美子さんから「誰かに連れ去られたが、自分で帰るから探さないで」と藤枝さんに電話が入る。翌日には藤枝さんが、「妻は誘拐された。見かけた人は警察に連絡して」とテレビで訴え、現地警察も「事件」と断定、花嫁の安否が気

日本古代史を歪めた旧石器発掘捏造事件

自ら埋めて掘って「世紀の新発見」

2000年11月5日、毎日新聞の朝刊1面に、驚きのスクープ記事が掲載された。

「旧石器発掘ねつ造」

大きな見出しに添えられたのは、民間研究団体「東北旧石器文化研究所」の副理事長を務めていた藤村新一《ふじむらしんいち》氏（当時50歳）の写真3枚だ。撮影場所は、それまでに次々と歴史的石器を発見していた藤村氏が、10月27日に新たな石器を見つけたと発表した宮城県上高森遺跡。かねてより同氏の不正疑惑を追いかけていた記者が10月22日早朝、バイクで発掘現場にやってきた同氏がポリ袋から取り出した石器を自ら掘った穴に埋め込む決定的瞬間を撮ったビデオから起こした連続写真だった。

記者が証拠の映像を見せながら話を聞くと、藤村氏は「魔がさした」と石器発掘を捏造していたことを告白したそうだ。

この事件が日本の考古学界に与えた影響は計りしれない。

1948年、「岩宿遺跡」（群馬県新田郡笠懸村、現・みどり市）の関東ローム層から3・5万年前の石器が発見され、日本最古のものと認定された。以降、日本列島全域で4千ヶ所を超える遺跡が確認されたが、そのほとんどが約3万年～1、2万年前の後期旧石器時代のものだ。

ところが1980年代になり、歴史が覆る。主に

旧石器発掘ねつ造

宮城・上高森遺跡

調査団長の藤村氏

自ら「魔がさした」認める

2000年11月5日、毎日新聞朝刊1面に掲載されたスクープ記事

東北地方から、岩宿遺跡以前の前期旧石器時代・中期旧石器時代が日本に存在したことを証明する石器が次々に発見されたのだ。石器発掘の中心となったのが藤村氏で、これまで3万年前ほどとみられていた日本の旧石器時代は約70万年前まで遡り、歴史の教科書も書き換えられることになる。

それが毎日新聞のスクープにより、再び覆る。藤村氏は毎日新聞の記者に対し、宮城県の上高森遺跡および北海道の総進不動坂遺跡での発見についてのみ自作自演の捏造を認めていた。が、後に日本考古学協会が、藤村が関わった全ての遺跡を再調査し、彼が発見したとされる石器の多くに通常ではありえない傷や擦過痕が認められるなどしたため、その大半が捏造と断定。かくして日本の前・中期旧石器時代の遺跡は姿を消した。

そもそも藤村氏は考古学好きのアマチュア研究家に過ぎない。子供時代に土器を拾って古代への憧れを抱き、高校卒業後、東北電力の子会社に就職。休日を利用して石器収集を始めた。民間の「みちのく考古学研究会」に所属し、1975年には「石器文化談話会」を結成。後に当時から捏造を行っていたことが明らかになるわけだが、素人ながら石器の発見率が驚異的に高かったため、仲間うちで「神の手」「ゴッドハンド」ともてはやされ、次第に考古学界の中で名前が知れ渡っていく。

もっとも、彼の発見を疑問視する声も少なくなかった。発掘成果が出ない日が続いても、藤村氏到着の翌日か翌々日に「大発見」があること、それがゴールデンウィーク中に集中していることなど、いかにも状況が不自然だった。が、彼が捏造を働いている確証がないまま否定するのはリスクが高く、さらに政府が藤村氏関連遺跡を国の史跡に指定したり、石器を文化庁主催の特別展に展示するなどしたことも批判を封じ込める要因となっていた。が、決定的な証拠を前に、彼の〝偉業〟は完全に崩壊する。

日本史を歪めた罪は大き

2000年11月5日、スクープ記事を受けて謝罪会見する藤村新一氏。(右側中央でうなだれる男性)

いとして検察による告発も検討されたが、現行法では罪に問うのは難しいとして不問。2003年、福岡県の考古学者による偽計業務妨害容疑での告発も、仙台地方検察庁は証拠不十分で不起訴処分としている。

藤村氏は捏造発覚直後から精神病院に入院。2001年には妻と離婚(家族が激しい嫌がらせを受けたことが原因とされる)し、2003年に入院中に知り合った女性と再婚した。当時、メディアから受けた取材には、「ゴッドハ

石器を自ら埋める決定的瞬間

ンド」などと讃えられるプレッシャーから次々と捏造に手を染めたが、そのうち自分の行為は捏造ではないと妄想を抱くようになったと答えたそうだ。

２０２１年１月現在、藤村氏は福島県南相馬市で年金暮らしを送っていると伝えられている。

「工作員とみられる不審者が潜水艦で夜間、海岸に上陸」

江の島虚偽通報事件

２００２年１月６日21時頃、神奈川県横浜市にある海上保安庁第三管区海上保安本部に１本の通報が入る。

「今日の19時ちょっと前、江の島の南側で妻と２人で天体観測をしようと坂道を下っていたとき、正面の海面に筒のような物が浮き上がってきてフタが開き、中からアクアラングの格好をした5、6人の男が出てきました。彼らはガケをよじ登っていったんですが、日本語ではない言葉を話していました」

電話をしてきたのは神奈川県伊勢原市に住む当時41歳の男性で、その内容は北朝鮮の工作員と思しき複数の不審者が潜水艦で夜間に江の島の海岸に上陸した瞬間を目撃したという、とんでもないものだった。

ところが神奈川県系が調べてみると、男性が不審者を目撃したという場所は付近に灯火もなく、当日は月も暗かったため海面から人が上陸する姿を見たという証言に疑問が生じた。そこで再度、男性を聴取したところ、通報はデタラメだったことが判明する。動機は当初「夫婦喧嘩の憂さ晴らしのため」と告白したが、男性の妻は数日前から外泊しているうえ、当日江の島にさえ行ってなかったこともわかり、最初の通報から供述の内容まで全てウソだったことが発覚。一部からは、架空戦記好きが高じた狂言とも指摘された。

国際問題になりかねなかったこの一件、男性には「偽計業務妨害罪」で懲役2年・執行猶予5年の有罪判決が言い渡されたが、それより大きかったのが海上保安庁への弁償だ。巡視艇17隻、航空機4機に加え、特殊警備隊も出動したため、経費として男性に800万円が請求されたのである。最終的に男性が130万円を支払って示談が成立したが、バカ高いイタズラ電話になった。

巡視艇や航空機が出動する騒ぎに（写真はイメージ。本文とは直接関係ありません）

有栖川宮詐欺事件

宮家を騙る男女カップルがニセの結婚披露宴で祝儀を詐取

2003年、メディアの話題をかっさらった有栖川宮《ありすがわのみや》詐欺事件を覚えているだろうか。華族の継承者を偽ったカップルがニセの結婚披露宴を開催し、祝儀などを騙し取った前代未聞の詐欺事件である。

事は同年4月6日、東京・青山のカナダ大使館地下にある完全会員制倶楽部で行われた、宮家・有栖川宮家の祭祀《さいし》継承者で高松宮宣仁親王《たかまつのみやのぶひと》のご落胤《らくいん》「有栖川識仁《さとひと》」と、その「妃殿下」と名乗る男女の結婚披露宴に始まる。パーティは石田純一やダイアモンド✡ユカイ、エスパー伊東といった芸能人や元東京都議、右翼団体関係者など含め約400人が列席する盛大なもので、多くのマスコミが取材に殺到した。

ところが、この披露宴のマスコミ報道を見た視聴者が、「有栖川宮家は大正期に断絶しているはず」と警察に通報。警視庁公安部が宮内庁に確認などした結果、詐欺事件と判明し、有栖川識仁と詐称した男性K（当時41歳）と、有栖川晴美を名乗った女性S（同45歳）、そしてイベント企画会社勤務の男性を詐欺罪で逮捕する。調べによると、KとSの2人は何度も結婚式を挙げていたものの婚姻関係はおろか、恋愛関係、内縁関係も存在しなかったそうだ。

　そもそも有栖川宮は、江戸時代に創設された宮家だったが、1913年（大正2年）7月、10代目当主の威仁《たけひと》親王に嗣子がなく薨去《こうきょ》したため、旧皇室典範の規定により断絶した。

　そして有栖川宮家の祭祀は、歴代当主の勲功により大正天皇の特旨を以って、第3皇子の光宮宣仁親王が新たに高松宮家を興したうえで継承。その宣仁親王は1987年2月に薨去したが、事件当時は妃の喜久子が在世中であったた

断絶した宮家の継承者を名乗り披露宴を挙げたK（右）とS（左）

め、有栖川宮家の祭祀は引き続き高松宮家で執り行われていた。つまり、「有栖川宮家の祭祀継承者」はありえない話だったにもかかわらず、芸能人を含む多くの人間が騙されてしまったのだ。

もっとも、その手口はお粗末なものだ。会場の飾りは手作りで、料理も引き出物（バウムクーヘン）も安っぽく、新郎新婦と一緒に写真を撮る際には1万円を取るなど、参加者は少なからず胡散臭さを感じていたそうだ。

逮捕時のK

前出のイベント企画会社勤務でラジオプロデューサーを名乗る男性に頼まれ、会場で1時間ほどのライブを行ったダイアモンド✡ユカイは、披露宴が終わった後に男性からギャラを受け取るためホテルの一室に出向くと、部屋には祝儀袋や現金が散乱していたと証言している。また、その後廊下に出たところ、自称・有栖川宮の2人が血相を変えて走る姿を目撃したそうだ。後の報道では、KとS、

披露宴に参加したダイアモンド☆ユカイは、後にテレビ番組で「祝儀が散乱したホテルの部屋を見てヤバいことに巻き込まれたと思った」と語っている

イベント企画会社勤務の男性の三者の間で金の取り分を巡るトラブルがあったらしい。

　３人の計画では、２千人に招待状を送付。そのうち６００人が列席し、平均５万円の祝儀＝３千万円が集まると考えていたという。が、いざフタを開けてみれば総額は１千２００万円ほど。会場費などの経費を差し引けばさほど大きな儲けは出なかったようだ。

　新郎を演じたKは、母のゆかりの地であった京都市西京区川島有栖川町からニセ有栖川宮を思いつき、やがて「有栖川宮識仁」と名乗るようになる。皇族として関西のパーティに出席するなど詐欺を働いていたところで出会ったのがS。Kは彼女に、自分が偽者であることを打ち明けたが、Sは意に介さず結婚披露宴詐欺を計画、実行していった。

主犯格と言うべきSは熊本県で生まれ、18歳のとき「準ミス熊本」に選ばれるほどの美貌の持ち主だった。高校卒業後はバス会社に就職、結婚し2人の子供を授かったものの、もともと派手好きな彼女は地味な結婚生活に嫌気がさし離婚。その後も再婚・離婚を経験し、Kと出会ったときは銀座のホステスをしていたという。

逮捕後の取り調べでKは容疑

新婦を演じたS。出所後、週刊誌でセミヌードを披露している

を否認。Sも「有栖川と言っても宮家とは名乗ってはいない」と言いつくろった。が、2006年9月に下された裁判の結果は、両者ともに懲役2年2ヶ月の実刑判決（イベント企画会社の男性は懲役1年6ヶ月・執行猶予4年）。刑期を終えた2人は出所後、性懲りもなく「有栖川宮記念事業団」なる政治団体を立ち上げ、Kは代表に、Sは会計係として勤務し寄付金などを集めて活動していると報じられたが、現在の消息は伝わっていない。

役場の嘱託職員が5年にわたって被害者を偽装
立花町連続差別ハガキ事件

「部落のあなたが子どもを指導してくれますと子どもたちに部落が伝ります。子どもを体験塾に参加させたいのですが参加させられません。社会教育課を辞めてくだささい。役場を辞めて下さい」（原文ママ）

2003年12月、福岡県八女《やめ》郡立花町（現・八女市立花町）の教育委員会社会教育課に勤務する男性A（当時46歳）に1枚のハガキが届いた。差出人は実在しない「立花町子ども育成会」を名乗り、Aが被差別部落出身であることを理由に辞職を迫っていた。

2002年に1年更新の臨時職員として採用されたAは、小学生を対象とした自然体験塾などを担当するとともに部落解放同盟（以下、解同）の構成員として立花支部の会計を任され副支部長に就き、将来の支部

Aが勤務していた立花町役場

「悪質卑劣な差別」として事件を大々的に報じた解放新聞

長候補と目されていた。

以後もA宛てに被差別部落をネタにしたハガキは不定期に届き、当初は外部の仕業に思われていた。が、2005年3月、自宅に空き巣が入って解同立花支部の積立金約70万円を盗まれたとAが訴えた出た直後に「早く辞めさせないから手を討ちましたよ」とのハガキが届いたことで、ハガキも空き巣もAの狂言ではないかとの声が解同内で出始める。

筑後地区協議会書記長が単刀直入に「あなたがしたことじゃないんかという話が出と

る。なんで大切な金を家に置いとったんですか」と問い詰めると、Aは涙を流しながら否定。会計責任者として被害金額を割賦で弁償する約束をしてその場は終わった。

Aの言葉を信じた解同県連は、2005年8月に「立花町連続差別ハガキ事件糾弾闘争本部」を設置、福岡県も法務局や県関係機関などで構成する「福岡県立花町差別はがき事件対策会議」を設けて事件の解決に取り組む。翌2006年には県議会でこの問題が取り上げられ、事件は社会問題に発展していく。

それを煽るかのように2006年末から犯行はエスカレートする。同じく被差別部落出身の職員B宛てに「次はあなたの番よ!」「明けま死んでおめでとう」というハガキが送りつけられ、さらにはAの子供が通う学校や町役場幹部、教育関係者にも同様のハガキが相次いで届いた。一連のハガキは計44通を数え、中にはカッターナイフが同封された封書もあった。

Aは解同県連などが主催する事件の真相究明会に参加したり、同盟誌に「連続差別ハガキ事件 犯人を捜し出し、糾したい!」と題する手記を発表、2007年10月には被疑者不詳のまま刑事告訴まで起こしている。また、差別脅迫事件の被害者として解同主催の人権フォーラムや、筑後地区の31の支部、解同の全国大会や青年集会、また学校関係や運動関係の研修会、さらには東京や京都、四国や和歌山まで招かれて人権啓発講演を行い、その都度、1～10万円の謝礼を得ていたという。

ところが警察の捜査により、事件はAの自作自演ではないかとの疑いが強まり、2009年7月7日、福岡県警はAを偽計業務妨害の容疑で逮捕する。決め手となったのは、最初のハガキと封筒、さらにカッターナイフが同封された封筒からAのDNAが採取されたことだった。

取り調べに対しAは、「ハガキは全て自分が送った」と容疑を認め「被害者になれば町が嘱託の雇用契約を解除しにくくなると思った」と供述した。警察は空き巣事件や講演料の件についても立件する意向だったが、空き巣については証拠が出ず、講演料は解同側が被害届を出さなかったため不問に付された。

裁判の結果、Aには懲役1年6ヶ月・執行猶予4年の有罪判決が確定した。その直後、Aは突如「これ以上、皆に迷惑をかけられんと思ったから、仕方なしに自分がやりましたって言うたとです」と無罪を主張する。これに対しAを信じ控訴を勧める者もいたが、2010年7月、Aは無罪の主張を撤回し、

事件の核心に迫った高山文彦氏のルポルタージュ『どん底』（小学館）

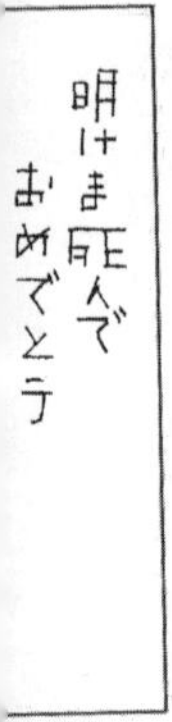
明けま死んで
おめでとう

（…宅）宛て

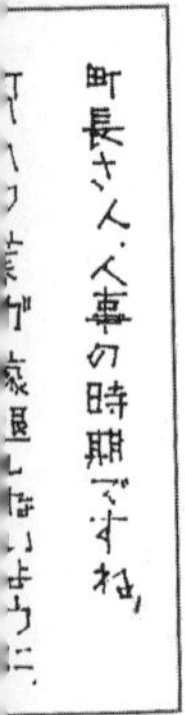
町長さん、人事の時期ですね、

宛て

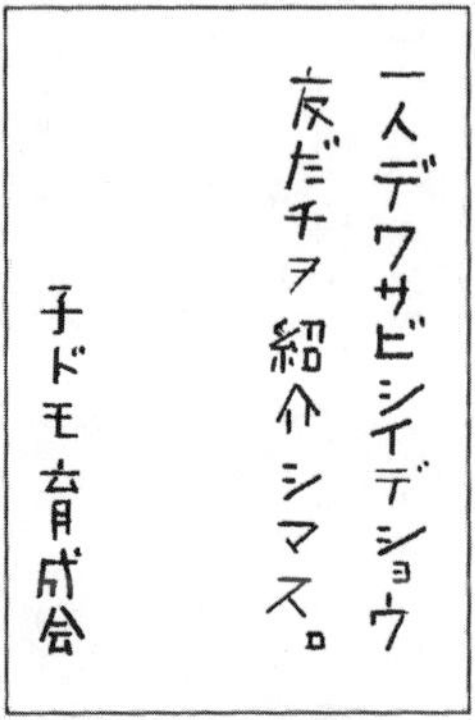
一人デワサビシイデショウ
友だチヲ紹介シマス。
子ドモ育成会

2006年12月5日消印、山岡一郎宛て

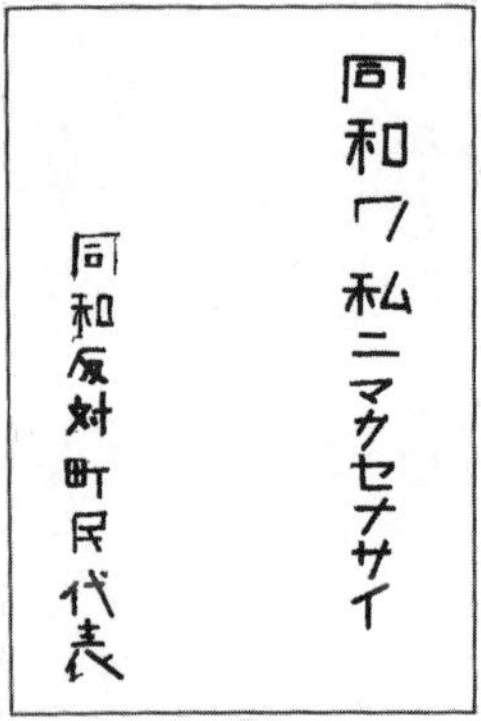
同和ワ私ニマクセナサイ
同和反対町民代表

2006年12月5日消印、町長宛て

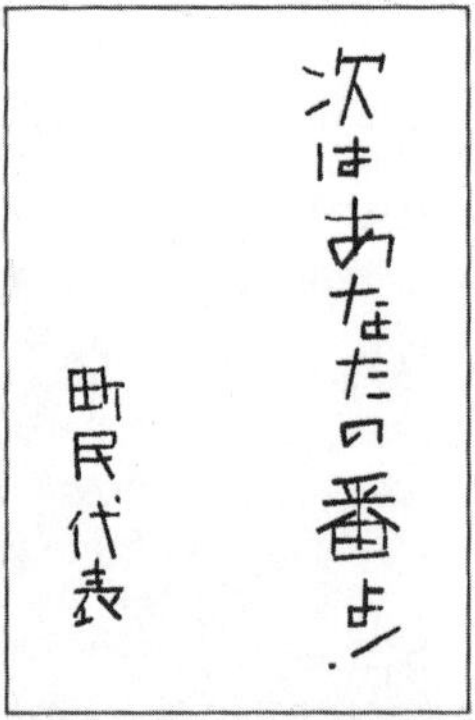
次はあなたの番よ!
町民代表

2006年12月5日消印、佐藤春之（農政課）宛て

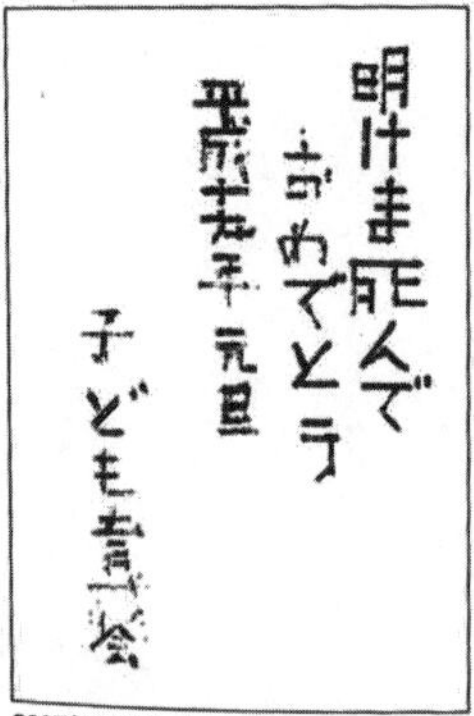
明けま死んで
おめでとう
平成十九年元旦
子ども育成会

2007年年賀状、山岡一郎宛て

前述のルポルタージュ『どん底』に掲載された実際のハガキ

解同筑後地区協議会の委員長と書記長のもとを訪れ、土下座をして罪を詫びたという。

ちなみに、Aは立花町役場から事件のために発行した広報誌などの費用32万円、解同立花支部から70万円の返済を求められたものの、サラ金などから数百万単位の借金を抱えていたこともあり自己破産し、1円たりとも返済せず、現在は生活保護を受けながら、以前から住んでいた町営住宅で暮らしているそうだ。

アメリカ同時多発テロ「19人目の生還者」

タニア・ヘッド事件

2001年9月11日午前8時46分、アメリカン航空11便がニューヨークのワールドトレードセンター（以下、WTC）の北棟95階に突入し、その17分後にユナイテッド航空175便が南棟の81階に時速約940キロで突っ込み77～85階部分が大破・炎上。9時59分に南棟、10時28分に北棟が崩壊した。このアメリカ同時多発テロにより、WTCでは2千763人が死亡。両棟の突入階とそれより上にいた者で、生き残ったのはわずか18人しかいなかった。

2年後の2003年、WTC南棟から生還したという1人の女性が、生還者が集う定期的な集会に顔を出す。タニア・ヘッド（1973年7月生）。本人曰く、自分は外交官の娘でハーバード大学、スタンフォード大学経営大学院を経て、欧米やアルゼンチン、シンガポールの一流企業で働き、事件当時は南棟に事務所を構えていた証券大手メリルリンチに勤務していたのだという。

北棟に飛行機が突入した際は、96階の会議室におり、急いで78階まで移動したところで

「偽りのヒロイン」を演じたタニア・ヘッドことアリシア・エステベ・ヘッド

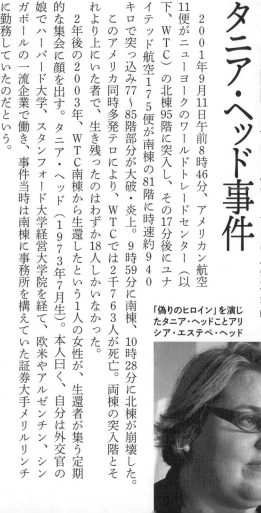

南棟にハイジャック機が激突。大ケガを負って失神した後に痛みで目が覚めると、赤いバンダナで口を覆った男性が、彼女と逃げ惑っていた人たちをタワーの下まで誘導してくれたそうだ。

「私は5日後に病院で目が覚めました」

タニアは突入階より上層にいた19人目の生還者だった。

その後、タニアは婚約者（後に夫と訂正）のデイヴが北棟で亡くなり、自身が激突時にいた78階では、混乱のなか出会った瀕死の男性から指輪を託され、後に彼の奥さんに渡したと告白する。こうした美談がマスコミで伝えられると、彼女はアメリカ中で一躍有名になる。確かにタニアの腕には大きな火傷の痕が残るうえ、ディティールの説明には誰もが同情こそすれ疑う者など皆無。タニアは生存者が立ち上げた「WTC生存者ネットワーク」で活動を始め、やがてグラウンド・ゼロ（WTCの跡地）を案内するツアーの責任者を任される。

2005年9月、自分を救ってくれた〝赤いバンダナの男〟こと、ウェルズ・クラウザー（生存者の証言により、逃げる

北棟（右）にハイジャック機が突入したとき南棟の96階で会議中で、その後78階まで移動した際に2機目の飛行機が激突したと証言していたが…

ルートがわからない人たちをサポートして少なくとも18人の命を救ったことが判明した人物。事件当時24歳の金融マンで、WTC1階で遺体で発見）の両親と会い、2006年にはテロ当時のニューヨーク市長ルドルフ・ジュリアーニやパキスタン州知事らと対面。あちこちで「同時多発テロの体験は決して忘れないだろう」などと講演するタニアは、いつのまにかテロ被害者のシンボルのような存在になっていた。

しかし、ほどなく化けの皮が剥がれるときが訪れる。2007年9月27日付の『ニューヨーク・タイムズ』が、タニアの話は辻褄が合わず、改めて彼女が口にした事柄を確認すると、ほとんどがデタラメであることが判明したと報じたのだ。

そもそもタニア・ヘッドという名前がウソで、正体はアリシア・エステベ・ヘッドという本名を持つスペイン人だった。華々しい学歴もウソっぱちで、メリルリンチに勤務していた雇用記録もなし。また、タニアが婚約者と語ったデイヴなる男性については、確かに事件当時〝ビッグ・デイヴ〟の愛称で知られる男性が亡くなっていたが、彼の家族によれば、生前本人からタニアの話を聞いたことなど一度もないという。また、彼女の腕の傷は数年前にスペインで起こした自動車事故によるものと判明。さらに、テロ事件があった当日、タニアはスペインのビジネススクールで授業を受けており、2003年、生還者の集会に姿を現したときが初の渡米であることがわかった。

単なる売名行為か、それとも別の意図があったのか。タニアはウソが発覚すると全ての取材を拒否してスペインへ帰国したため、なぜこんな自作自演を働いたのか、真の動機はわからないままだ。が、偽りのヒロインを演じ、それが全てウソと判明したことで、多くの米国民が傷ついたのは事実。金銭の詐取などがなかったため罪に問われていないものの、その行為は極めて悪質と言わざるをえない。

タニアがスペインに戻った翌2008年2月、WTC生存者ネットワークに彼女が自殺したという匿名の電子メールがスペインから届いた。しかし、その情報はウソで、彼女は帰国後バルセロナの保険会社で働いており、2012年7月、事件を知った雇用主が解雇したと報じられている。

グラウンド・ゼロのツアーをガイドするタニア。握手しているのは、ジュリアーニ元ニューヨーク市長

架空の人物が高校野球の応援企画を主導

「白血病の野球部女子マネ」なりすまし事件

2014年10月24日、茨城新聞は7月に「白血病と闘う高校の野球部の女子マネージャーがヒマワリを植える活動を行っている」と報じた記事について、女性は実在しない人物だったとして記事を訂正、謝罪した。

そもそも茨城新聞が件の女子マネ話を知ったのは、「夢咲く花プロジェクト〜ゆっこと球児の夢を乗せて〜」と題したフェイスブックがきっかけだった。内容は、JBCA日本野球指導者協会が運営するプロ養成硬式野球チームである「鹿島ドリームス」の女性マネージャー〝ゆっこ〟が、白血病を患っており、

2014年7月、茨城新聞が掲載した美談は大きな反響を呼んだが…

広がる「夢咲く花プロジェクト」
ヒマワリで球児応援
鹿嶋の社会人チーム マネージャー
病床からエール

彼女やチームメートを励ますために皆でヒマワリを植えようというものだ。〝ゆっこ〟と呼ばれる女性も自身でブログを立ち上げており、そこにはこんなプロフィールが掲載されていた。

「17歳・高2☆元野球部マネ。野球と仲間とグラウンドが大好きです♥　2013年11月に白血病と診断されました。治療中に脳出血を起こし、左半身に軽い麻痺と記憶障害の後遺症が残りました。全国の高校球児を応援しています♥」

茨城新聞がJBCAを通じて女子マネージャーに取材を申し込んだところ、LINEでの取材ならOKとの返事。事の経緯を彼女は、病気のせいで自分が通う高校の野球部のマネージャーはやめざるをえなかったが、2014年4月にその事情を鹿島ドリームスにメッセージしたところ、同クラブがマネージャーとして受け入れてくれ、現在はグラウンドには行けないため、テレビ電話で選手とコミュニケーションを取っていると説明した。

その後、〝ゆっこ〟の姉を名乗る人物がツイッターで、妹が亡くなったと報告したことで、あまりに話が不自然との声が続出する。そこで改めて茨城新聞が事情を確認した結果、全ては〝ゆっこ〟の姉を自称した女性の自作自演だったことが判明したのだ。

女性は「誰かに認めてもらったり、心配してもらいたくて軽い気持ちで始めてしまった」などと説明したが、実は彼女、以前にも重病を装ってブログで闘病記を綴り、周囲の注目を集めていた女性と同一人物ではないかとの指摘もある。

テレビカメラが捉えた会話でウソが発覚

韓国・母子3人の性的虐待偽装事件

2014年10月、韓国でなんとも痛ましい被害を訴える記者会見が開かれた。マイクの前に座ったのは、身元を隠すため帽子にサングラスをつけた母親(当時43歳)と、17歳と13歳の息子の3人。母親は20年、2人の息子は10年以上にわたり夫とその父親(祖父)から性的虐待を受けてきたのだという。

母親によれば、韓国でも有名な教会の牧師を務める夫と祖父は、社会的地位と莫大な財力を持ち、家族に日常的に暴力を振るうばかりか、覚せい剤を飲ませて近親相姦や売春を強要し、その痴態を画像や映像で撮りネットで販売。さらには親戚や教会信者たちにも母子との乱交を強いていたのだそうだ。

この衝撃的な告発を受け、警察が捜査を開始するも証拠は皆無。レイプ被害を示す医師の診断書もなければ、3人に覚せい剤などの使用痕跡もない。父親のパソコンやカメラにも性的画像や薬の購入に関する形跡すら見あたらなかった。

「証拠不十分」で捜査が打ち切られても、母子はあきらめない。その後36回も捜査を促す告訴を繰り返し、息子たちも「我々が父親にレイプされたのは本当です」という動画をネットにアップ。世論は彼らの訴えを真実と受け止め、深く同情した。

ソウルのテレビ局ＳＢＳの人気番組「それが知りたい」は、会見から８ヶ月にわたって母子に密着取材していた。番組では、長男が性的虐待のトラウマから精神病院に入院していること、母親と次男は全国各地に出向いて自分たちの被害を訴えていることなどを報道。

2014年10月、母子3人が衝撃的なレイプ被害を告発した記者会見の様子

特に次男が事実を立証するべく母親よりも積極的に行動しており、番組スタッフとのインタビューでは「肛門から血が出ても、治療を受けさせてもらえなかった」と淡々と語ったり、母子たちが〝セックス村〟と呼ぶ地方の片田舎で、とある男性に詰め寄って「僕をレイプしたじゃないですか！」と責め立てるシーンもオンエアされた。

しかし、一方でテレビカメラはどうにも不自然な母子の姿も捉える。彼らにインタビューを行っている途中、「休憩しましょう」と番組スタッフが席を外したときだ。マイクがオフになっていると思ったのか、「この人たちにウソだとバレたらどうしよう」と不安を口にする弟に対し、「さっきのおまえの言葉は説得力があったよ」「いい演技だった」と励ます兄の会話が聞こえてきたのだ。その直後にマイクがオンだったことに気づき、激しく動揺する次男。さらに、カメラは悲惨なレイプ体験を話す次男の横で何度もクスクス笑う母親や、レイプの状況を申告する書類の最後にニコちゃんマークを記す次男の姿も捉えていた。

2015年7月25日放送分で流れたこれらの映像は視聴者たちに大きなショックを与え、ネット上は大炎上。「今の見た？ マジで？」「結局、全部ウソだってことだな」「これはショックすぎる」といった

コメントがあふれ、母子たちを応援していたコミュニティサイト運営陣は「いろんな方に迷惑をかけてしまった」という謝罪文を掲載するとともに、サイトを即座に閉鎖するなど大混乱となった。

番組では父親にも取材し、祖父と財産問題で揉めたことが原因で教会を除名され、現在は宅配ピザの配達で生計を立てていること。2015年7月に離婚訴訟が決着したが、離婚理由に性的虐待はなかったことなどが語られ、さらに母子は親戚の女性占い師（同

母子の告発はネット上で大きな反響を呼び、彼らと同じ姿で事件を非難するユーザーで溢れかえった

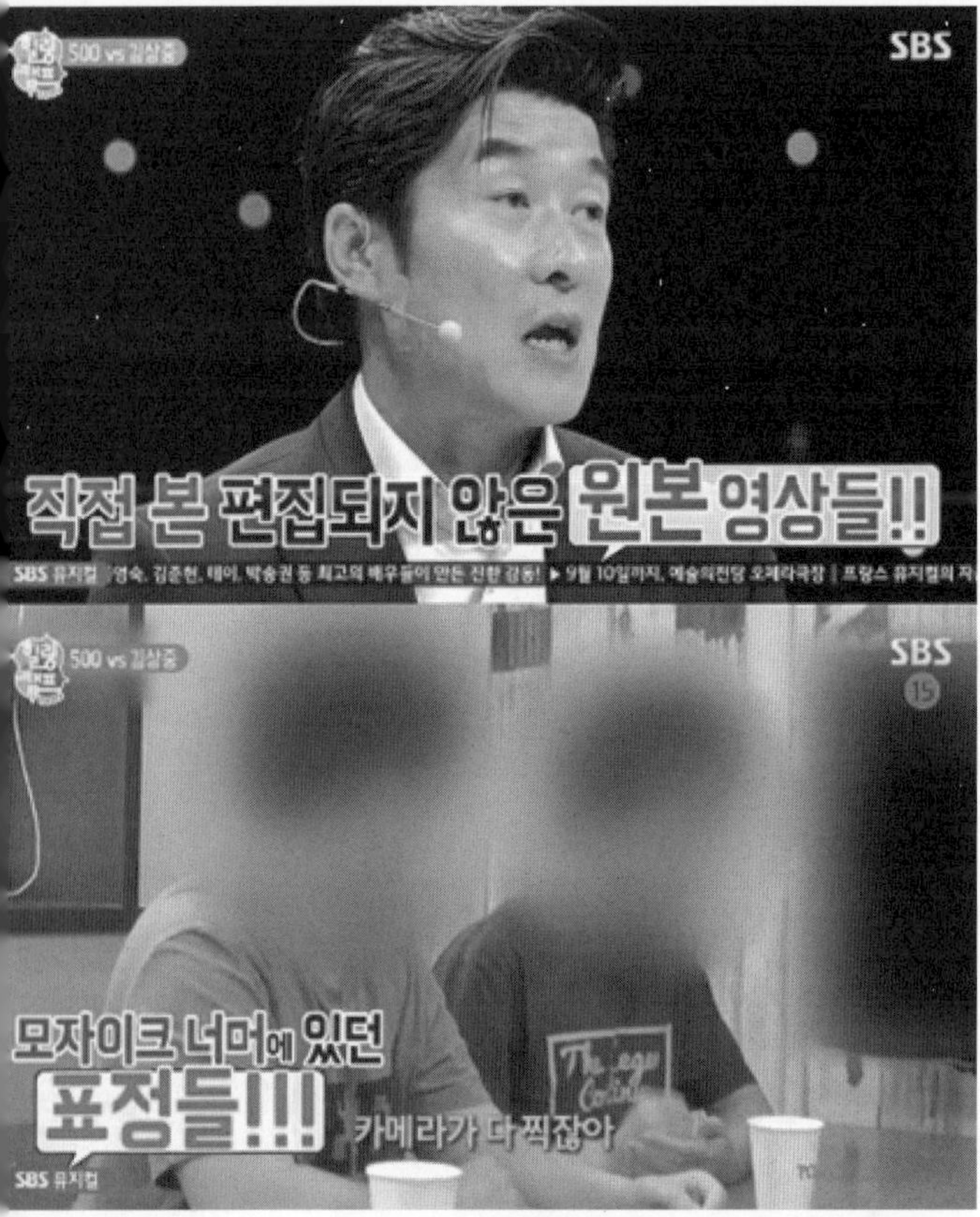

2015年7月25日放送のSBS「それが知りたい」で流された、弟と兄が「ウソだとバレたらどうしよう」「いい演技だった」と会話を交わす場面（上は番組の司会者）

57歳)に操られ、教会から金をせびり取ろうとしているのではないかとの見解も放送された。

果たして、母子の訴えはデタラメだったことが判明、「国民的詐欺事件」として視聴者から激しいバッシングに遭う。

真相は父親が語っていたように、全て母親が頼っていた女性占い師の指示によるものだった。なんでも親戚が原因不明の病気に見舞われたときに、占い師の言うとおりにして治ったのが心酔のきっかけだったそうだ。

ソウル警察の特別捜査班は2015年11月、母親と占い師を逮捕、取り調べる。結果、2017年3月、2人の息子に虚偽性暴行被害事実を陳述するよう強要した児童福祉法違反、誣告などで起訴された母親に懲役2年の実刑、虚偽性暴行申告を指示した疑いで起訴された占い師にも懲役9年の実刑が言い渡された。

さらに国も、国選弁護士費用などの損害賠償請求訴訟を提起して勝訴。母親に日本円で約50万円を返還するよう命令が下った。

母親から障害者の偽装を強いられた娘が選んだ最悪の結末

ディーディー・ブランチャード殺害事件

2005年8月に米南東部を襲った大型ハリケーン・カトリーナは、1千800人以上の死者を出すなどアメリカ観測史上最大級の被害をもたらした。

避難生活を余儀なくされた者も120万人を数え、その中にミズーリ州の浸水した家屋から救出されたディーディー・ブランチャード（1967年生）と、ジプシー（1991年生）の母娘がいた。母親ディーディーによれば、娘のジプシーは生まれつき筋ジストロフィーや白血病などの病気を抱えて立つこともできず、脳障害により知的能

ハリケーン・カトリーナからの奇跡の救出劇で一躍、有名になったディーディー（右）とジプシーの母娘

力が7歳児レベルなのだという。

そんな母娘の奇跡の救出劇に全米が歓喜し、2人のもとには多くの支援物資や募金が集まった。さらにサポートを呼びかけるサイトが立ち上がり、ディズニーランド旅行や一戸建ての家までがプレゼントされる。

世間がこれほど母娘を支援したのは、ディーディーの苦難に満ちた過去があったからだ。彼女が結婚したのは23歳。相手は17歳だったが、結婚した途端、酒を飲んでは暴れるDV男だった。24歳で妊娠するも、出産前に離婚。大きなハンディを背負って産まれてきた娘を女手ひとつで育ててきた彼女の話に、皆が深く同情したのである。

それから10年後の2015年6月14日深夜、母娘の自宅から、刃物でメッタ刺しにされたディーディーの遺体と、ジプシーの車椅子が発見された。強盗や誘拐、元夫の関与などが疑われるなか、警察は母娘のSNSに注目。そこに残っていた「クソ女は死んだ」とのメッセージから、犯人がアカウントを乗っ取って犯行声明を残したと睨む。

捜査の結果、逮捕されたのはニコラス・ゴドジョン、自閉症を患う26歳の男性だった。警察は男の自宅で凶器とみられるナイフやディーディーの財布を発見。さらに、行方不明だったジプシーを男の自宅で無事保護する。

普通に考えれば、ニコラスがディーディーを殺害後、ジプシーを拉致・監禁したと推測できる。が、警察はジプシーをも殺人罪で逮捕する。なんと、事件はジプシーがネットで知り合ったニコラスに、母親の殺害を依頼したのが真相だったのである。

2016年4月、裁判所に姿を現したジプシーは自らの足で歩き、衝撃の事実を語った。実は母親ディーディーは、健康体の彼女に自分が重度の障害者で、病に侵されていると信じ込ませていた。幼い頃から不必要な手術を受けさせ、薬を飲ませ、その一方で数々の慈善団体から寄付を巻き上げていたのだという。

ジプシーは足が悪くないのに8歳から車椅子での生活を強いられ、栄養チューブを通して食事を与えられる日々。看護師助手として働いていた経験のあるディーディーは医学用語に精通しており、娘が本当に病気であるかのように振る舞い、医師や看護師をも欺してきたのである。

ジプシーが母親に疑念を持ったのは、2010年のとき。国民健康保険証の記載で、自分が母親から言われていた1995年ではなく、1991年生まれであることを知る。その時点で15歳だったはずなのに、実年齢は19歳だったのである。

ジプシーは母親から無用の手術や薬物投与を強要されていた
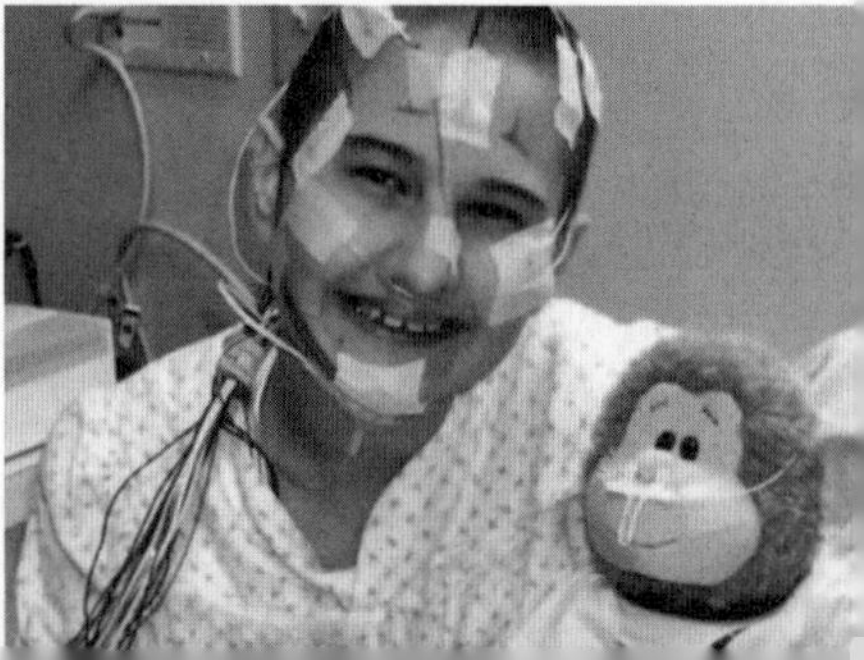

疑いを口にする娘に、母ディーディーは謝罪するどころか、逆に虐待をエスカレートさせ、ハンガーで殴り鎖でベッドに縛り付けた。ジプシーの恐怖は日に日に増大していく。

母親の厳しい監視を避け、深夜にインターネットを使っていたジプシーがキリスト教系のデートサイトでニコラスと出会ったのは2013年。2人の仲は急速に深まり、やがて交際に発展。ジプシーは全てを打ち明け、憎き母親の殺害をニコラスに依頼したのである。

裁判で、ジプシーは自らの罪を認め禁固10年、ニコラスには終身刑が言い渡されたが、一つ疑問が残る。なぜ、ディーディーはジプシーに信じがたい過酷な生活を強いたのか。娘を障害者に偽装してまで金品が欲しかったのか。常識では理解しがたい彼女の行動は、識者の間で、他人を虐待して注目を集めようとする精神疾患「代理ミュンヒハウゼン症候群」が原因だったのではないかと言われている。

殺害を実行したニコラス・ゴドジョン(右)。ジプシーの望みを叶えるのが喜びだったと供述している。収監された刑務所内でインタビューを受けたジプシー(左)は「母と暮らしていたよりも今の方が自由を感じる」と話した

米ホームレス募金詐欺事件

偽りの美談に感動した人々から総額40万ドルを詐取

事件の始まりは、2017年11月に、ケイト・マクルーア（米ニュージャージー州交通局の受付係、当時27歳）と、ボーイフレンドだったマーク・ダミコ（大工、同37歳）が、クラウドファンディングのサイトで募金活動を始めたことにある。

サイトを立ち上げた理由を2人は、ある人に恩返しをするためと説明した。なんでも、マクルーアがフィラデルフィア郊外の高速道路でガス欠を起こして途方にくれていたところ、ホームレスだったジョニー・ボビット（退役軍人、同36歳）が通りかかり、ポケットに入っていた全財産の20ドル（約2千200円）をはたき助けてくれたという。

何かボビットにお礼ができないかと考えた2人は、彼の生活再建のため、サイトでの資金調達を計画。住宅を借りて中古車を購入できるようにしたいと、目標額を1万ドル（約110万円）に設定していた。

3人の心温まるストーリーに全米が注目し、1万4千347人から総額40万ドル（約4千500万円）もの大金が送られる。

2人は支援者に対し、資金はボビットのために設けた複数の信託基金に蓄える方針で、資金管理用に弁護士と金融アドバイザーを雇うと発表。その後はボビットのために衣服と新しいキャンピングカーを購入し、それを2人が住む家の前に停めて、3人仲良く暮らしていると伝えられた。

ところが2018年8月、ボビットがダミコとマクルーアを相手に、民事訴訟を起こしたことで話はにわかにきな臭くなる。

ボビットによれば、2人はクラウドファンディングで得た金でラスベガスやフロリダを旅行し、BMWの車や高級ブランド品を買ったり、カジノにつぎこ

ホームレスだったボビット(左)と、ダミコ(右)、マクルーアの3人。
一時は仲良く一緒に暮らしていると伝えられたが…

むなどして散財。ボビットに使ったのは7万5千ドル（約830万円）のみで、ボビットのために買ったはずのキャンピングカーも2人が勝手に売り払ってしまったという。

ホームレス生活に戻り、弁護士を通じて残りの金を寄越すよう要求したボビットに対し2人は、自分たちのために寄付金は使っていない、ボビットに渡せばドラッグを買ってしまうから渡せないなどと反論した。が、後に、金を手にしてから4ヶ月ほどで寄付金のほとんどを使い込んでいたことが発覚する。

偽善者を装ったカップルによる寄付金詐取と思われたこの事件は、11月になって新たな事実が明らかになる。ダミコとマクルーアのカップルはギャンブルにハマり、フ

ダミコとマクルーアが心温まる話とともに立ち上げたクラウドファンディングのサイト。事件を受けサイトの運営会社は、集まった40万ドル全額を寄付者に返金したと発表している

ィラデルフィアのカジノハウスに通いつめ、クラウドファンディングを立ち上げる1ヶ月前、店のガード下で物乞いをしていたボビットと出会っていたという。

顔見知りになった3人は計画を企む。同情を得られそうなハートウォーミングなストーリーをでっち上げれば、寄付金を騙し取れるのではないか。そう、マクルーアの車はガス欠で立ち往生したこともなければ、ボビットが20ドルをマクルーアにやったこともない。すべて、3人が作り上げたウソっぱちだったのだ。

これにより、マクルーア、ダミコ、ボビットは、偽装による窃盗罪と、窃盗を共謀した罪で逮捕。裁判でボビットとマクルーアは罪を認め、ボビットには5年の麻薬治療保護観察（薬物を断つためのプログラムを受け完了できなかった場合、または保護観察の条件に違反した場合は5年間、刑務所に収容される可能性があるというもの）、マクルーアには懲役4年の実刑が言い渡された。

一方、無罪を主張するダミコは、電信詐欺やマネーロンダリングの陰謀などの罪（最大懲役20年）に問われているが、2019年11月現在、判決は下っていない。

罪を認め懲役4年の刑に服したマクルーア

「仕事が辛くてアイスピックで自分を刺した」

仙台・通り魔偽装殺人未遂事件

２０１９年5月29日22時頃、宮城県仙台市太白区の路上で、近くに住む会社員男性（当時51歳）が帰宅途中、前から歩いてきた人物にアイスピックで左胸を刺されるという事件が発生した。男性会社員は自力で帰宅、出血を確認した妻が「夫が刺されて血を流している」などと警察に１１０番通報。これを受けた警察官や救急隊らが現場に駆けつけ、周辺を捜索したが犯人の姿は見当たらず、付近には凶器に使われたと思われるアイスピックが落ちていたという。その後、病院に救急搬送されて治療を受けた男性会社員は命に別状はなく、軽傷だったことが判明。男性は警察の調べに、犯人の性別は不明で、身長はおよそ１７０センチ、服装は黒のジャージとズボンを着用していたと話したそうだ。

また、現場近くには小学校があったため、翌日の登校時には教職員や宮城県警が見守り活動を実施。下校時は各教室で児童を保護者に直接引き渡すなどしたそうだ。

事件発覚当初、メディアは、犯人は逃走中でさらなる犯行に及ぶ可能性があると報じ、ネット上でも「仙台で通り魔が逃走中とか恐すぎ」「朝、警察が多かったのはこの事件のせいか」「近所でアイスピックの殺人未遂事件…犯人の逮捕はよ」などと心配する声が多数あがった。ところが、警察が付近の防犯カメラを確認しても不審な人物は写っておらず、聞き込みでも容疑者の目撃証言も出てこない。そこで改めて被害男性から詳しく事情を聞いたところ、事件は男性の自作自演だったことがわかる。男性は捜査員に対して「自分で刺した。仕事が辛かった」などと供述したそうだ。

仙台南署は、軽犯罪法違反（虚偽申告）の疑いで男性を取り調べたというが、結果については報道が出ていない。ちなみに、虚偽申告をした場合の罰則は、拘留（1日以上30日未満、刑事施設で拘置される処分）または科料（1千円以上1万円未満の支払い処分）が科せられることになっている。

事件はテレビニュースでも報じられた

セクハラをネタに使い大バッシング
DJ社長・炎上プロモーション事件

2019年7月17日、チャンネル登録者248万人（2020年11月現在）を誇る人気5人組音楽ユーチューバー・グループ「レペゼン地球」のリーダーDJ社長が、セクハラを働いているとする内容の投稿がツイッターにアップされた。

ツイートしたのは、レペゼン地球の事務所に所属するタレントのジャスミン。左ページに掲載したのが実際の投稿で、それにはラインで、社長がしつこく彼女をホテルに誘う生々しい様子もアップされていた。

ジャスミンは投稿を補足する形で、この後、以下のツイートをアップする。

〈いろいろな誤解が生まれているので説明させてもらいます。DJ社長とは何年も前から知り合いでその時から「ウチの事務所に入らないか？」と誘われていましたがその時は別の事務所に入っていたので断っていました。（中略）ライフグループに入る前からセクハラじみた事をされており、入ってからさらに過激になっていき、ここ1～2ヶ月間は特にひどく、今回辞める事にしました。パワハラの事を嫌と直接はっきり言えなかった私も悪いですが、事務所を辞めたいとはちゃんと社長に直接言い続けていました。しかし全く聞

いてもらえず、辞めれそうになかったのでこういう方法で辞める形を取らせていただきました〉

　彼女のツイートは瞬く間に拡散し、ファンはもちろん、一般の女性たちからもDJ社長への非難と、ジャスミンへの同情が寄せられる。

　3日後、当のDJ社長がユーチューブに1本の動画をアップする。内容は「金のない弱小プロダクションが新人を売り出すには、正攻法では歯が

まずは、このツイートが大炎上

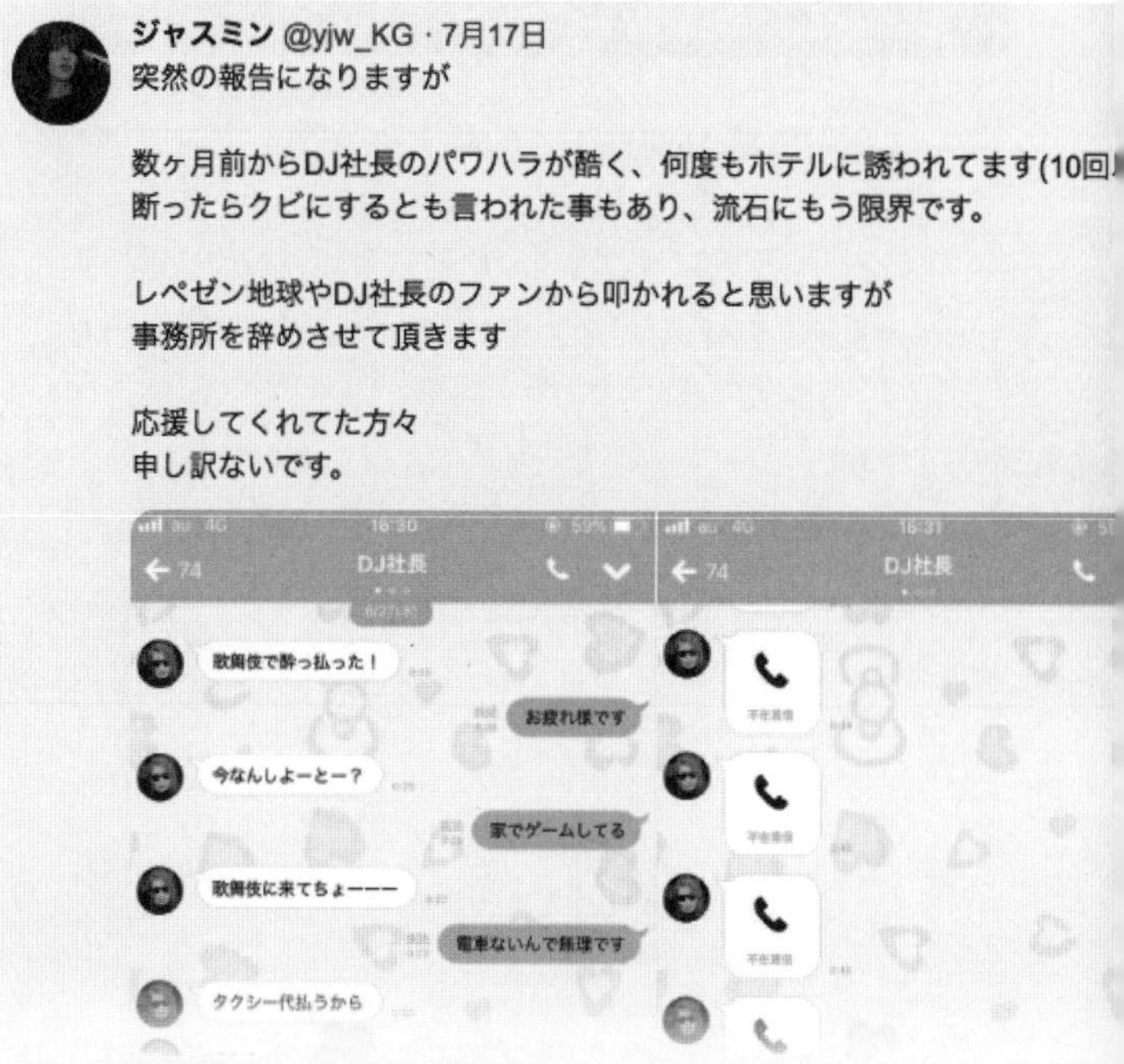

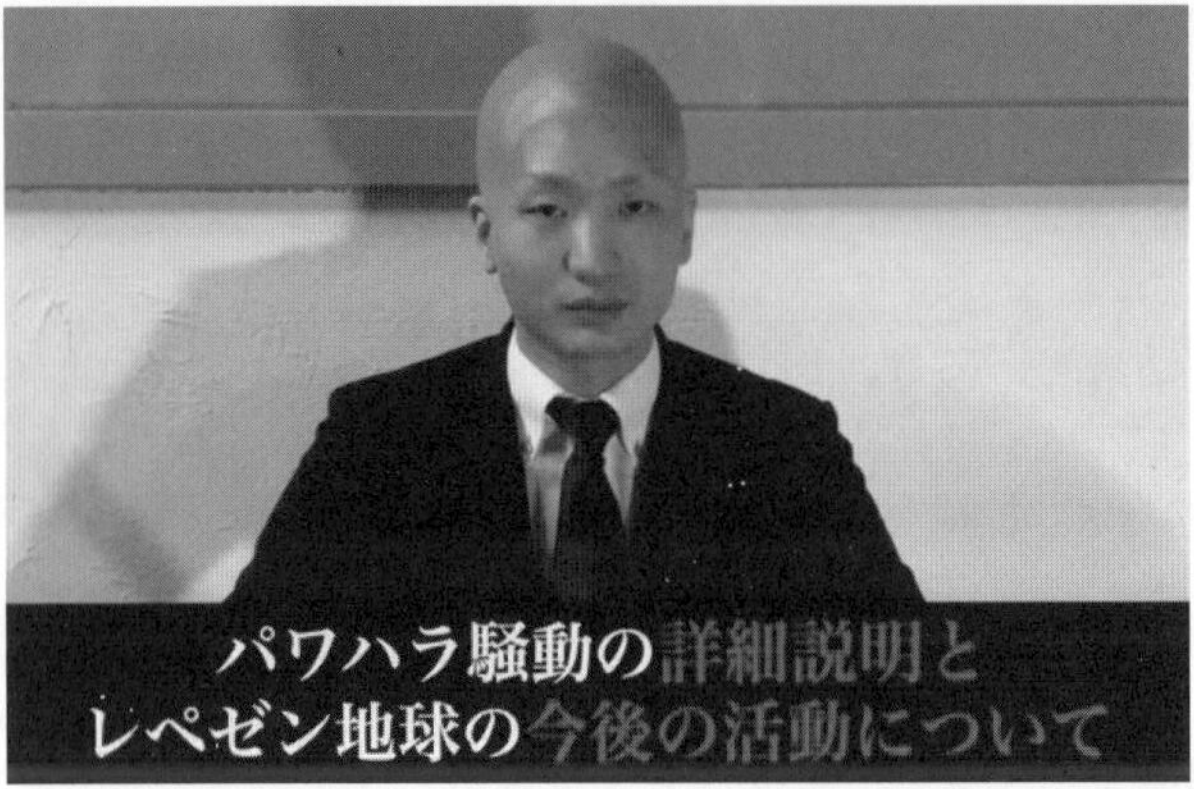
パワハラ騒動の詳細説明と
レペゼン地球の今後の活動について

一連の騒ぎを謝罪するDJ社長

立たない。どうすればいいか考えた末の答えが炎上商法だった。すなわち、全てが自作自演だった」と明かしたうえで、最後にはロックバンド・マキシマムザホルモンの4人が登場、「おまえらパワハラはダメだ、炎上商法はダメだ」と声をかけ、ＤＪ社長が土下座しながら謝罪するというもの。つまり、ジャスミンのツイートは、ＤＪ社長が意図的に仕掛けた炎上プロモーションだったというわけだ。

しかし、この仕掛けがセクハラ行為を利用した炎上商法だったことがわかると、再びＤＪ社長はネットで袋だたきに遭う。

〈めちゃくちゃ不愉快になりました。凄いですね、今までレペゼン地球のこと好きだったけど今回の件で大嫌いになりました〉

〈今後セクハラを訴えた女の子がどうせネタでしょ？　とか言われたらどう責任取ってくれん

の……〉

〈心配して損したとはまさにこの事。自分一人の声が少しでも味方になればと思った事だけに悲しい気持ちになりました。ただ何もなかったならそれだけは良かったと思います。二度と見たくない存在になりましたけどね〉

ジャスミンのツイート時以上に世間からバッシングを受けたDJ社長は動画をすぐに削除し、レペゼン地球が9月に開催予定だった埼玉県でのライブを中止することを発表。10月24日に「僕のやり方が間違っていました。申し訳ありません」と騒動を謝罪する動画をアップした。

10月27日、DJ社長はニュースサイト「ハフポスト」でセクハラ問題に詳しいジャーナリスト白河桃子氏のインタビューを受け、今回の事態について次のように語っている。

全て自作自演によるプロモーションだったことを明かした動画にも激しい批判が

「正直、種明かししたら、みんなが笑ってくれて、笑顔になると思ってました。それが全然違う結果で。でも、本音のところを言うと、あまりにも僕が触れてしまった問題が、深くて。どうすればいいかわからなかったです。あれからも、ツイッターを見ていて、世の中の男性はこんなにひどいことを女性にしているんだっていうこともわかってしまって。自分の無知というか…」

２０２０年12月26日、ＤＪ社長率いるレペゼン地球はペイペイドーム公演をもって解散したが、翌年１月、新たなプロジェクト「キャンディ・フォックス」を立ち上げ、再始動することが発表された。

第3章 記事捏造

本人は「記事を見て思わず吹き出した」

朝日新聞「伊藤律会見報道」事件

伊《い》藤律《とうりつ》という政治運動家をご存じだろうか。１９１３年、岐阜県に生まれ、東京大学入学後に日本共産党に入党。警察の弾圧に遭い幾度となく投獄され、戦後は密航先の中国で政府当局に25年の長きにわたり身柄を拘束されていた伝説の人物だ。

伊藤が中国へ渡る前年の１９５０年6月、ＧＨＱのレッドパージ（いわゆる赤狩り）により、伊藤に逮捕状が出た。が、本人の行方が一切わからなかったことから、巷に死亡説、アメリカ亡命説などが流れる。そんなとき、朝日新聞がスクープを放つ。同年9月27日付の紙面で、神戸支局の記者が兵庫県宝塚市の山林で伊藤と接触、数分間の会見に成功したと報じたのだ。記事は、記者が目隠しされたうえで潜伏先のアジトまで案内されたこと、その場での一問一答、伊藤の表情の描写など詳細に富み、これには伊藤の行方を追っていた警察も重大な関心を寄せることとなる。

しかし、ほどなくこの記事は完全な捏造だったことが発覚する。取材記者が伊藤と会見していたとする時刻に旅館にいたことがわかり、法務府特別審査局が本人に聴取したところ、あっさり虚偽報道であることを認めたのだ。動機は、特ダネを書こうという功名心からだったという。

朝日新聞社は記事掲載3日後の9月30日、社告で全面謝罪。担当記者は辞職し、その後、「占領目的阻害行為処罰令違反」で逮捕され、執行猶予付きの有罪判決を受けた。また、報道に踏み切った大阪本社編集局長も解任処分となっている。

ちなみに、伊藤は記事掲載当時、東京におり、晩年の書簡で「なかなか迫真的なこの大記事を夕刊で見て思わず吹き出した」と記し、また、この記者が伊藤の中学の同級生の後輩で、1948年に地元で開いた講演を見て、自分の人相や仕草などを知ったのであろうことも明かしている。

宝塚山中に伊藤律氏
不精ヒゲ、鋭い眼光
"潜入の目的は言えぬ"

【神戸発】日共幹部の潜行以来三ケ月余、捜査当局必死の努力にもかゝわらず徳田氏ら九名の行方はわからぬまゝになっているが、本社の一記者はその情報入手先の一つから二十五日深更「伊藤律氏が確かに阪神間にいる」との知らせを受けた。この種の情報は今までにもたくさんあり、大部分が単なる情報に終っているので、記者は半信半疑で出かけたのであったが、意外にもこの情報は真実で二十六日午前三時半宝塚の山奥で伊藤律氏と会見する結果となった。もちろん捜査当局と連絡することも出来なかったわけだが…以下はその会見記――

伊藤律氏

「伊藤律との会見」を大々的に報じた朝日新聞の紙面
(1950年9月27日付)

『ワシントン・ポスト』新人記者がでっち上げたヘロイン中毒の少年

「ジミーの世界」事件

１９８０年9月28日、米大手紙『ワシントン・ポスト』に「ジミーの世界」なる記事が掲載された。内容は、ワシントンに住むジミーという8歳のアフリカ系アメリカ人の少年がヘロイン中毒で苦しんでいるというもので、同居する母親もヘロイン中毒者かつ常習者がたむろする食堂を経営、母親のボーイフレンドは麻薬の密売人で、ジミーの細い茶色の腕に注射の痕が痛々しく残っているなど、生々しいルポルタージュは２千２５６字にのぼった。

この頃、ワシントンではヘロインが深刻な社会問題になっていたこともあり、記事は世間に衝撃を与え、当時のワシントンD.C.市長はジミーを見つけて彼に治療を受けさせようと計画。一方、１９８１年4月、記事を執筆した女性記者ジャネット・クック（当時26歳）にジャーナリストとして最も栄誉ある「ピューリッツァー賞」が授与された。彼女は記事を書いた年にポスト紙のウィークリー版スタッフに加わったばかりの新人だった。

警察の懸命な捜索も虚しく、ジミーは一向に見つからなかった。そんなとき、AP通信からクック記者の経歴に嘘があるとの報道が出る。彼女はヴァッサー大学を卒業し、トレド大学で博士号を取得した後、『トレド・ブレイド』（オハイオ州で発行されている日刊紙）の記者としてジャーナリズム賞を受賞したことになっていたが、実際はヴァッサー大学に1年間通い、トレド大学で学士を取得しただけだというのだ。不審を抱いたポスト紙編集幹部がクックを追及したところ、彼女は経歴詐称を認めたうえで、記事も功名心にかられて全て捏造したことを告白する。つまり、ヘロイン中毒のジミー少年など最初から存在しなかったのだ。

同紙はクックのピューリッツァー賞を辞退し、彼女を解雇。報道によると、クックはその後、二度の離婚を経て2017年現在、スーパーマーケットの従業員として働いているそうだ。

「ジミーの世界」と題されたポスト紙の記事と、執筆したジャネット・クック記者。彼女は「人に漏らせば自分の生命に危険が及ぶ」という理由で、当事者の身元も情報源も編集責任者に明らかにしていなかったそうだ

毎日新聞「日出処の天子」事件

作者、編集長のコメントも完全な創作

1984年1月24日の毎日新聞夕刊に「法隆寺カンカン えっ、これが聖徳太子?!」と題した記事が掲載された。

内容は当時、雑誌『ララ』(白泉社)で連載中だった山岸涼子作の少女漫画「日出処の天子」に登場する聖徳太子の同性愛描写に対し、聖徳宗総本山 法隆寺（奈良県生駒郡斑鳩町）が「わが国の仏教興隆に尽力し、寺の信仰の対象である太子を冒とくするものだ」と怒りを露わにし、出版社に釈明を求めているというもの。さらには、作者の山岸涼子のコメントとして「法隆寺に関する著作などを参考に、私のイマジネーションで描きました。だれもが知っている聖徳太子の意外性を狙ったもの。史実だけでは漫画はできません」。また編集長の「史実をベースにはしているが、漫画だからフィクションは入る。同性愛シーンなど、少女向けコミックでは常識だし聖徳太子への冒とくなどとは考えていない」との反論コメントも紹介していた。

両者の言い分を載せた、バランスが取れた記事といえそうだが、なんとこれがまるっき

りガセネタだった。

記事掲載の前日、毎日新聞社奈良支局の若手記者が法隆寺を訪れ、「このような漫画があるが問題ではないか」という話をもちかけた。法隆寺から怒りのコメントを取り、ニュースを作ろうという思惑があったのだろう。しかし、同寺は「そんな漫画は知らないし、読んでみないことには何とも言えない」と態度を保留する。にもかかわらず、記者は話が通じたものと都合良く解釈。その後、作者と編集部に取材を断られていながら、勝手にコメントを創作していた。

記事掲載から11日後の2月4日、毎日新聞は誤りを認める次のようなお詫びを掲載した。

〈一月二十四日付夕刊社会面の少女漫画「日出処の天子」に関する記事中に、法隆寺側が怒り、出版社への抗議を含む対策を話し合うとあるのは誤りでした。同寺は教学部で布教の参考にするとの態度で、著者、山岸涼子さんほか関係者の談話も事実ではありませんでした。関係者にご迷惑をおかけしたことをおわびして訂正します〉

山岸涼子は後に「毎日新聞が自らの紙面にて記事が誤りであったことを認めて載せたのは大きい。これは法隆寺さんのおかげだ」と語っている。

「えっ、これが聖徳太子⁉」
法隆寺　カンカン
少女向け漫画、釈明求める
「信仰の対象を冒と

1984年1月24日付の毎日新聞夕刊に掲載された問題の記事

朝日新聞「サンゴ記事」捏造事件

カメラマン自ら傷をつけた写真を夕刊1面に掲載

1989年4月20日、朝日新聞夕刊1面の連載企画「写'89『地球は何色?』」にサンゴが傷つけられた写真と、「サンゴ汚したK・Yってだれだ」と題した以下の記事が載った。
〈これは一体なんのつもりだろう。沖縄・八重山郡島西表島の西端、崎山湾へ、長径八メートルという巨大なアザミサンゴを撮影に行った私たちの同僚は、この「K・Y」のイニシャルを見つけたとき、しばし言葉を失った。

巨大サンゴの発見は、七年前。水深一五メートルのなだらかな斜面に、おわんを伏せたような形。高さ四メートル、周囲は二十メートルもあって、世界最大とギネスブックも認め、環境庁はその翌年、周辺を、人の手を加えてはならない海洋初の「自然環境保全地域」と「海中特別地区」に指定した。

たちまち有名になったことが、巨大サンゴを無残な姿にした。島を訪れるダイバーは年間三千人にも膨れあがって、よく見るとサンゴは、水中ナイフの傷やら、空気ボンベがぶつかった跡やらで、もはや満身傷だらけ。それもたやすく消えない傷なのだ。

日本人は、落書きにかけては今や世界に冠たる民族かもしれない。だけどこれは、将来の人たちが見たら、八〇年代日本人の記念碑になるに違いない。百年単位で育ってきたものを、瞬時に傷つけて恥じない、精神の貧しさの、すさんだ心の……。にしても、一体「K・Y」ってだれだ〉

朝日新聞1989年4月20日付の夕刊1面

サンゴ汚した K・Yってだれだ

写'89 地球は何色？

これは一体なんのつもりだろう。沖縄・八重山群島西表島の西端、崎山湾へ、長径八㍍という巨大なアザミサンゴを撮影に行った私たちの同僚は、この「K・Y」のイニシアルを見つけたとき、しばし言葉を失った。

巨大サンゴの発見は、七年前。水深一五㍍のなだらかな斜面に、おわんを伏せたような形。高さ四㍍、周囲は二十㍍もあって、世界最大とギネスブックも認め、環境庁はその翌年、周辺を、人の手を加えてはならない海洋初の「自然環境保全地域」と「海中特別地区」に指定した。

たちまち有名になったことが、巨大サンゴを無残な姿にした。島を訪れるダイバーは年間三千人にも膨れあがって、よく見るとサンゴは、水中ナイフの傷やら、空気ボンベがぶつかった跡やらで、もはや満身傷だらけ。それもたやすく消えない傷なのだ。

日本人は、落書きにかけては今や世界に冠たる民族かもしれない。だけどこれは、将来の人たちが見たら、八〇年代日本人の記念碑になるに違いない。百年単位で育ってきたものを、瞬時に傷つけて恥じない、精神の貧しさの、すさんだ心の……。

にしても、一体「K・Y」ってだれだ。

6段抜きの大きなカラー写真、日本人のモラル低下を憂う文章。記事は読者に強いインパクトを与えた。が、これを読んだ沖縄県竹富町ダイビング組合員は驚く。何度も見たことのあるこのサンゴにそれまで全く傷がなかったからだ。そこで組合員は「落書きは、取材者によるものではないか」と朝日新聞社に電話を入れたものの、同社は「そんなことをするはずがない」と抗議を一蹴する。

その後も疑惑は収まらず、内部で調査を進めていた朝日新聞社は5月15日、記者会見を開き「西表島崎山湾沖にあるアザミサンゴの周辺一帯に、幾つかの落書きがあった。この取材に当たったカメラマン2人のうち1人が、その中の『K・Y』という落書きについて、撮影効果をあげるため、うっすらと残っていた部分をストロボの柄でこすった」と弁明する。ところが、当時、偶然西表島にいた名前が「K・Y」というイニシャルで、落書きの犯人にも疑われた1人のダイバーが独自調査を行ったところ、朝日の言う「こすってできた傷」ではなく、無傷のサンゴに落書きした疑いが濃いことが判明。記者会見後も抗議の電話が殺到した朝日新聞社はついに5月17日、サンゴの傷は本社カメラマンが意図的につけたもので、記事も捏造であることを認めるに至る。

この結果を受け、本社カメラマンは懲戒解雇、監督責任を問われて東京本社編集局長と同写真部長は更迭、同行していた西部本社のカメラマンは停職3ヶ月（このカメラマンは、傷をつけた東京本社カメラマンの行動に気づいていたが止めなかった）、そして、当時の同社社長が引責辞任に追い込まれる事態となる。

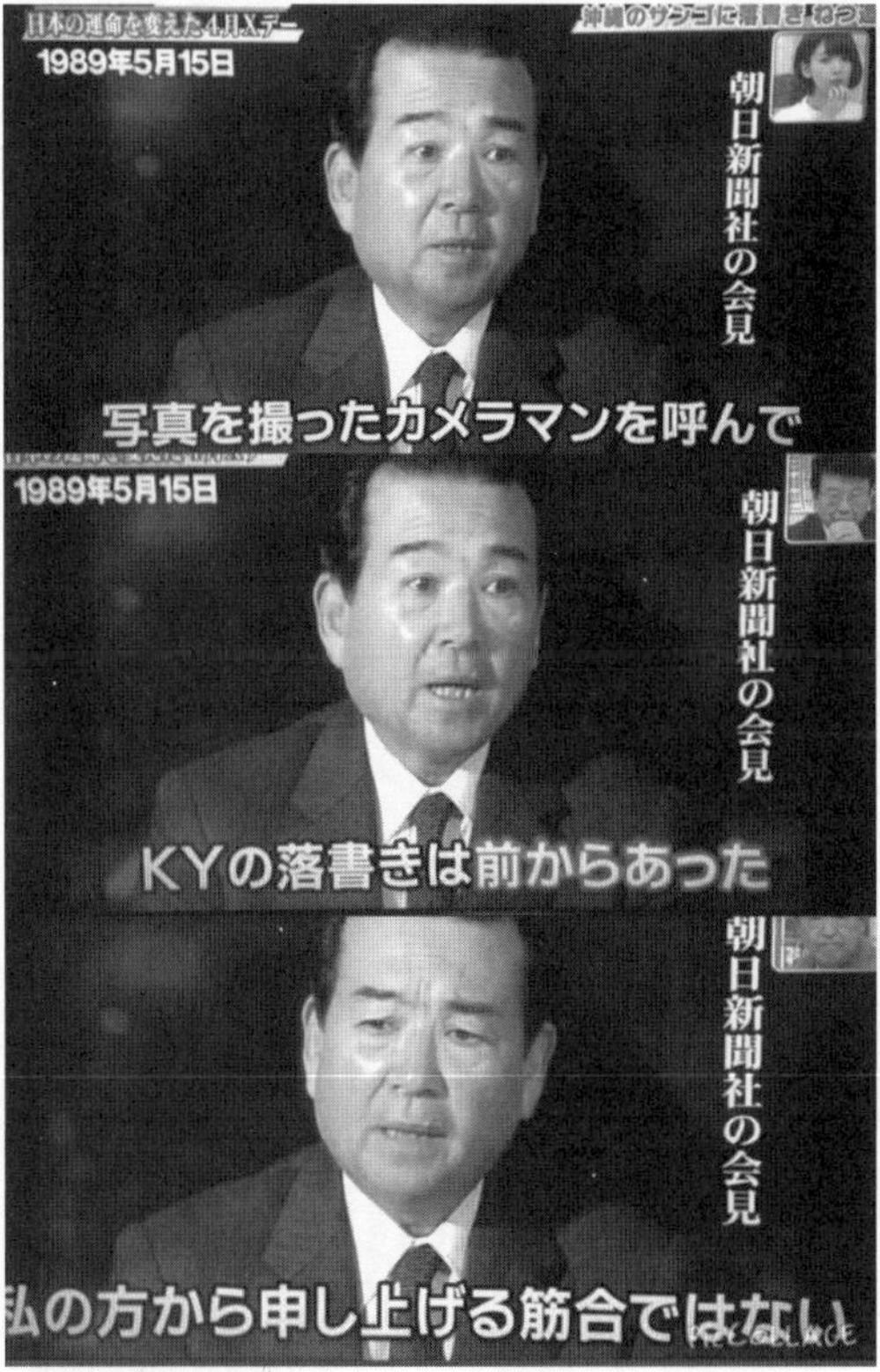

5月15日の記者会見。
批判を突っぱねるような対応が世間の反発を買った

サンゴ写真

落書き、ねつ造でした

深くおわびします

四月二十日付の本紙夕刊一面に掲載された「サンゴ汚したK・Yってだれだ」の写真撮影について、朝日新聞社はあらためて真相調査を続けてきましたが、「K・Y」とサンゴに彫りこんだ場所に以前から人為的な損傷があったという事実は認められず、地元ダイバーの方々が指摘されるように、当社カメラマンが無傷の状態にあった沖縄・西表島のアザミサンゴに文字を刻みつけたとの判断に達しました。

このため、本社は社内規定により十九日、撮影を担当した東京本社写真部員（当時）本田嘉郎を同日付で退社処分としたほか、関係者についても処罰を行いました。自然保護を訴える記事を書くために、貴重な自然に傷をつけるなどは、新聞人にあるまじき行為であり、ただ恥じいるばかりです。関係者、読者、並びに自然を愛するすべての方々に、深くおわびいたします。

取材の二人　退社・停職

監督責任者も処分

この事件につき、朝日新聞社はさる十五日付でとりあえず関係者三人を処罰するとともに、東京本社編集局長、同写真部長を更迭するなどの措置をとりました。しかし、本田写真部員（十六日付で編集局員）らの行為は当初の報告よりもはるかに重大・悪質であることが明らかになったため、さらに十九日付で本田を退社処分にしたほか、水中撮影に同行し、本田の行動に気づいていた西部本社写真部員村野昇は停職三カ月としました。

また、監督責任、出稿点検不適切などで専務取締役・編集担当中江利忠、東京本社編集局次長兼企画報道室長藤島負、西部本社写真部長江口汎、東京本社写真部次長鋼永友保はそれぞれ減給、西部本社編集局長松本知則は譴責とする処罰をとりました。本田に対する退社は、いわゆる懲戒解雇に当たる、もっとも厳しい処分です。

（3面に、本社がこれまでに行った調査結果を掲載しました）

朝日新聞社

捏造が事実と発覚、5月20日の紙面で全面謝罪

この事件は後に思わぬ事態も引き起こしている。捏造発覚後、傷をつけられたアザミサンゴを取材すべく多くのメディアが殺到、のべ100隻余りの船をチャーターしたのだが、その際に錨を落としたことから、1年後には現場の周辺のサンゴが折られ、白い傷口を無残に晒し、周囲のサンゴ礁が傷だらけになってしまう。また事件で有名になったサンゴを

見物するためにやってきたダイバーが周辺のサンゴ礁を傷つけるという例も少なくなかった。一方、当時傷が元に戻るのに数十年かかると言われていた問題のアザミサンゴは1年余りで文字がわからないまでに回復したというから皮肉な話だ。

ちなみに、サンゴに傷をつけたカメラマンは自然環境保全法違反で那覇地方検察庁に送致されたが不起訴処分に。朝日を退社後は写真家として活動し、また千葉県で自身が経営する3階建ての写真館が「全国写真館100選」に選ばれたことなどが伝えられている。

記事掲載から9日後に誤りを認めた一大スクープ

毎日新聞「グリコ・森永事件 犯人取り調べ」報道

1984年3月の江崎グリコ社長を誘拐し身代金を要求した事件を皮切りに、森永製菓、ハウス食品など、関西の大手食品会社が次々に脅迫されたグリコ・森永事件。「どくいり きけん たべたら しぬで かい人21面相」と書かれた脅迫文と、実際に小売店に撒かれた青酸ソーダ入りの菓子。防犯カメラに映った野球帽の男。捜査員に目撃されたキツネ目の男。事件はメディアを巻き込む〝劇場型犯罪〟として世間を震撼させたが、1985年8月、犯人側から「くいもんの 会社 いびるの もお やめや」との終息宣言が送られて以降、犯行はストップ。

犯行終息宣言から3年10ヶ月後の1989年6月1日、
毎日新聞が衝撃的な記事を報じたが
全て誤りだった

毎日新聞
夕刊
グリコ事件 犯人取り調べ
江崎社長の知人ら4人
犯行終息宣言後も 脅迫を続ける

2000年2月13日、未解決のまま全ての公訴時効が成立した。

いったい犯人は何者なのか。事件がまだ社会の大きな関心事だった1989年6月1日、毎日新聞の夕刊1面に衝撃の見出しが躍った。

「グリコ事件　犯人取り調べ」「江崎社長の知人ら4人」

大阪府警など捜査当局が、グリコの江崎社長誘拐事件の主犯の男と実行犯の男4人を恐喝・脅迫などの容疑で取り調べを開始したという大スクープだった。記事は、男たちは江崎社長の知り合いで、1985年8月の終息宣言以降も同社長を脅迫し続けたとし、社会面でも「劇場犯罪　ついに」「動機は？　全容は…」「〝標的〟すぐ隣にいた」などの見出しを用い、彼らが犯人に間違いないという論調で事件解決を報じた。

ところが、記事掲載のわずか9日後の6月10日、毎日新聞は「行き過ぎ紙面を自戒」「本来、万全を期すべき二重、三重のチェックという点で欠けるところがあった」という検証記事を掲載する。読者から「報道のしかたがセンセーショナルすぎるのではないか」というお叱りがあったので「自戒」するというのだが、要は、完全な誤報だったことを認める〝自白〟である。当時、グリコ・森永事件における新聞各社の取材競争が熾烈を極めていたことを背景に、功を焦った記者が捏造記事を書いてしまったというわけだ。毎日新聞社では、この記事の責任を取る形で編集局長が引責辞任している。

記事に踊らされた捜査本部が激怒

読売新聞「宮﨑勤のアジト発見」報道

1988年8月から翌1989年6月にかけ、東京都北西部・埼玉県南西部で4歳から7歳の女児4人が誘拐・殺害された。いわゆる東京・埼玉連続幼女誘拐殺人事件である。被害女児の骨を段ボールに入れ被害者宅に置いたり、新聞社に「今田勇子」の名で犯行声明文を送るなど事件の異常性に世間が震撼していた1989年7月23日、ついに犯人が逮捕される。宮﨑勤。同日、東京都八王子市美山町で、別件のわいせつ事件を起こしているところを被害女児の父親に取り押さえられた当時26歳の男性である。

逮捕から17日後の8月9日、宮﨑は取り調べで最後の被害女児を殺害したことを自供、翌日には女児の頭部が発見されメディアが実名報道を開始。13日には最初と3番目の被害女児の殺害を自供したことで、新聞・テレビの報道は連日、宮﨑一色に染まる。

報道合戦がエスカレートする最中の8月17日、読売新聞が夕刊1面トップで、宮﨑の潜伏するアジトを発見したと報道した。記事は「奥多摩山中・小峰峠近くで発見」「自宅から南東へ約1・5キロ」「宮崎家の使用人だった男性が住んでいた小屋」「警察が多数の有力物証を押収」「遺体放置場所もこのアジト内」「遺体観察に通う」など詳細かつ具体的で、紙面にはアジトのある山小屋付近の地図まで掲載されていた。

　報道を受け、宮崎宅前の畑を検証中だった埼玉県警の捜査員のうち20人が急きょ、小峰峠に回り、記事に書かれた山小屋を捜したが、それらしき建物はどこにもない。捜査本部は記事に踊らされたことに激怒し、即座に報道を完全否定

夕刊
讀賣新聞
THE YOMIURI SHIMBUN
EVENING EDITION
自然風味
日進ハム
宮崎のアジト発見
3幼女殺害の物証、多数押収
小峰峠（自宅から1.5キロ）の廃屋
真理ちゃんの遺体　放置場所と断
非共産、

読売新聞は1989年8月17日の夕刊1面でスクープを報じた

した。

読売は翌18日の紙面に「取材、記事作成段階での事実確認の甘さや誤解、記述の行き過ぎがありました」とするお詫びを掲載。さらに2ヶ月後の10月15日朝刊に「アジト誤報の問題点」と題した検証記事を載せたが、その内容は「激しい取材競争の中で一線記者が冷静さを失い、断片的な情報を総合す

宮崎の山小屋アジト否定
遺体放置場所なお追及
捜査本部

幼女連続誘拐殺人事件を捜査している東京都五日市町小和田、印刷業手伝い宮崎勤(二六)の裏付け捜査を進めている警視庁・埼玉県警合同捜査本部は十七日、「小……定した。同本部によると、小峰峠

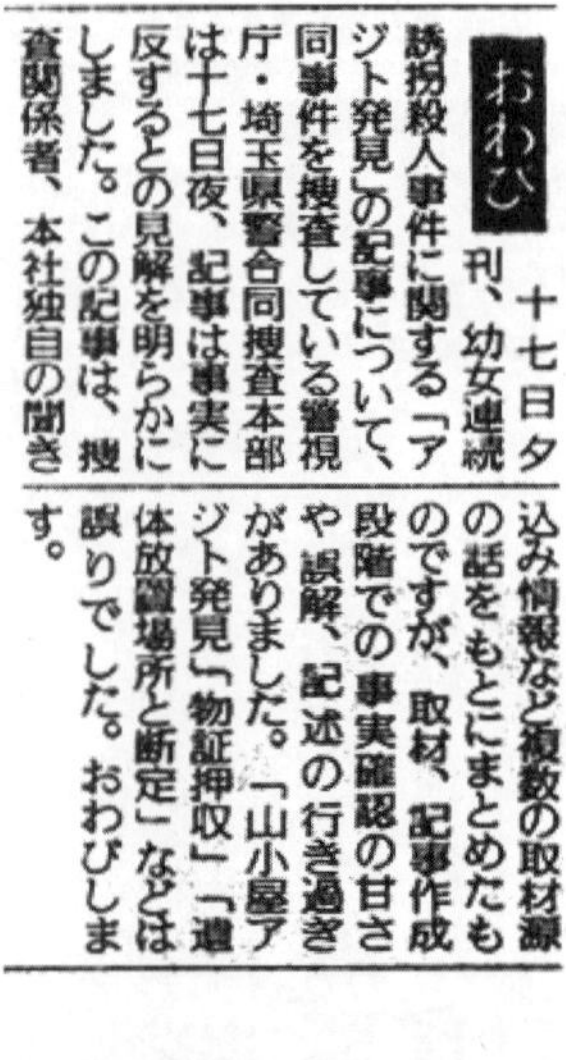

おわび

十七日夕刊、幼女連続誘拐殺人事件に関する「アジト発見」の記事について、同事件を捜査している警視庁・埼玉県警合同捜査本部は十七日夜、記事は事実に反するとの見解を明らかにしました。この記事は、捜査関係者、本社独自の聞き込み情報など複数の取材源の話をもとにまとめたものですが、取材、記事作成段階での事実確認の甘さや誤解、記述の行き過ぎがありました。「山小屋アジト発見」「物証押収」「遺体放置場所と断定」などは誤りでした。おわびします。

翌日には警察の発表(上)と、
記事が誤りだったことを認める
「おわび」を掲載した

る段階で、強い思い込みから不確かな『事実』を間違いのない『事実』と信じ込んだ」とする抽象的なもので、記事を担当した記者の名前や処分も発表されなかった。

朝日の「サンゴ記事」捏造（本書108ページ参照）、毎日の「グリコ・森永事件　犯人取り調べ」（同114ページ参照）、そして読売の「宮﨑勤のアジト発見」。後に「平成の三大誤報」と呼ばれるこれらの事件がいずれも1989年に起きたのは単なる偶然だろうか。

高級政治雑誌に捏造記事を乱発

「ニュースの天才」スティーブン・グラス事件

2003年、「ニュースの天才」というアメリカ映画が公開された。大統領専用機にも置かれている高級政治雑誌『ザ・ニュー・リパブリック』(以下、TNR)の記者で、ユニークな原稿を書くことで有名だったスティーブン・グラス(1972年生)が、在職中の4年間に捏造記事を乱発していた事件を題材とした作品である。

弱冠25歳でスター記者の名を欲しいままにした彼の悪事は、通算27本目のでっち上げ記事により白日の下に晒される。

ペンシルベニア大学の大学新聞の記者として活躍していたグラスがその才能を買われ、ワシントンD.C.に編集部があるTNRに籍を置くことになったのは1995年、22歳のときだ。当時で創刊80年を数えた同誌は鋭い政治的論評で多くの読者から信頼を得ていたが、グラスの書く原稿は他の硬い記事とは一線を画していた。

「クリントン大統領の愛人だったモニカ・ルインスキーの名をもじったコンドームが開発されている」
「ブッシュ大統領を神と崇拝する団体がある」

独特の切り口で政治ネタを操る彼は、たちまち読者の人気を獲得。編集長には一目置かれ、やがて『ローリング・ストーン』『ジョージ』など他の人気誌からも執筆を依頼されるスター記者に成長していく。

1998年、グラスは「ハッカー天国」と題された記事を発表する。15歳の少年が大手コンピュータ企業をハッキングし、大金を手にしたという内容だ。この記事に、インターネットマガジン『フォーブス・デジタル・ツール』の記者が疑問を持った。記事に出てくるハッカー少年と、企業が特定できないというのだ。

連絡を受けた編集長がグラスを呼び真偽を尋ねたところ、彼は心外な顔で情報提供者やハッカー少年の連絡先、少年が所属するというハッカー集団のH

スティーブン・グラス本人と、事件発覚のきっかけとなった記事「HACK HEAVEN」（ハッカー天国）

Pアドレス、少年を取材した際の席順まで書かれたノートを提示する。ＴＮＲでは、記者の書いた原稿は何重ものチェックの上で掲載されていたが、データベースにも載っていない企業や個人を取材したものは、記者の取材ノートで事実確認を行うのが常だった。

それまで人気記事を量産していたこともあり、編集長はグラスに全幅の信頼を寄せていた。半信半疑、グラスの提出した取材材料を洗い直したところ、全てがデタラメであることに気づく。連絡先に電話をかけると、いつも作り声のようなボイスメールが。ハッカー集団のＨＰにメールを出すと、「地獄に堕ちろ」といった意味不明の返事が届いた。極めつきは、グラスが参加したというハッカー集会だ。グラスに集会場所のビルを案内させたところ、当日、会場は休みで閉鎖されていたことが判明したのだ。

Why global autocracy is bad for your health
THE NEW REPUBLIC
MitchWorld
THE GOP'S UNLIKELY SAVIOR

グラスが記事を執筆していた『ザ・ニュー・リパブリック』。1915年に創刊された老舗の政治雑誌である

編集長は、自作自演を認めたグラスを直ちに解雇、過去にグラスが書いた記事を精査し、41本中27本が捏造だった事実を突き止める。後にグラス本人が語ったことばによれば「最初は記事の一部を偽って書いていただけだが、あまりに反響が大きく、やがて全てを捏造するようになった」のだという。スター記者として祭り上げられていくなか、後戻りができなくなったらしい。

グラスは解雇の後、5年にわたってセラピーに通院すると同時に、ジョージタウン大学のロースクールを卒業して司法試験に合格。現在はビバリーヒルズの法律事務所に弁護士として勤務している。

グラスの近影。現在は弁護士として活躍中

クリントン大統領を困惑させたという笑えないデマ

森喜朗首相「フー・アー・ユー?」発言捏造事件

2000年5月5日、当時の総理大臣・森喜朗とビル・クリントン米大統領の間で首脳会談が行われた。このとき、森首相が恥ずかしい失言をしたとして、『週刊文春』2000年8月3日号が「嘘みたいな本当の話」という特集内で、次のような記事を掲載した。〈わが総理に国際センスを望むのはムリというもの。5月の日米首脳会談の際クリントン大統領に「ハウ・アー・ユー(ご機嫌いかが?)」「ミー・トゥー(私も)」とだけ言うように(秘書から事前に)アドバイスされていたが、いざ会うや「フー・アー・ユー(あなたは誰)?」とやってしまった。大統領が苦笑いしながらも、ユーモアなのかと思い「アイム・ヒラリーズ・ハズバンド(ヒラリーの夫です)」と答えると、森首相はなんと、「ミー・トゥー」と答えた――〉

2000年5月5日、日米首脳会談に臨んだ森喜朗首相とビル・クリントン大統領

森首相が英語力に劣ることは自身も認めており、雑誌『フライデー』や夕刊紙『日刊ゲンダイ』なども同様の記事を掲載、森首相の失態をからかった。

しかし、事実は全く違った。後に『週刊朝日』が会談に同席した外務省幹部に取材したところ、森首相は挨拶の際、日本語で「お忙しいところ、お会いしていただいてありがとうございます」と発言したとのこと。森首相本人も一連の報道に対し、首相退陣後に次のようにコメントしている。

「訪米した際、私がクリントン大統領に『フー・アー・ユー？』と言ったという話までまことしやかに書かれた。いくら私が英語が得意ではなくても、そんなこと言うわけがない」

では、なぜこのような報道が出たのか。２００４年、毎日新聞の記者が発信源は自分だと明かす。何でも、これはもともと韓国の金泳三《キムヨンサム》大統領が英語が苦手なのを皮肉ったジョークで、外務省記者クラブで「これ森さんに替えても使えるよね」と言ったところ、あっという間に広がり、さも実話のように報道されてしまったのだという。

「嘘みたいな本当の話」が実は嘘だと判明した後も『週刊文春』は謝罪記事を掲載しないどころか、「森政権を罵倒したいのですが、あまりに愚かでタイトルさえ思いつきません。読者の皆様ごめんなさい」などの見出しのついた２０００年11月2日号の広告を大手新聞各紙に掲載している。

名門新聞社で黒人記者として働く重圧から不正行為を

『ニューヨーク・タイムズ』元記者、ジェイソン・ブレア事件

『ニューヨーク・タイムズ』は1851年に創刊された米大手一般紙である。部数は2大全国紙の『USAトゥデイ』(2020年3月現在、約140万部)、『ウォール・ストリート・ジャーナル』(同約101万部)の半分程度だが(アメリカの全国紙は前出の2紙のみで他99%は一般紙=地方紙)、その存在は『ワシントン・ポスト』と並ぶアメリカを代表する新聞として強い影響力を持っている。

当然ながら、同紙の記者はジャーナリストを目指す世界中の人々の憧れと言ってもいいだろう。が、2003年、タイムズ紙史上最大の汚点ともいうべき黒人記者の存在が発覚する。ジェイソン・ブレア。当時27歳だった彼は、判明しているだけで執筆した記事の約半分を捏造、他紙からの盗用で創作していた。

ブレアは1976年、メリーランド州に生まれた。進学したメリーランド大学カレッジ

パーク校で学生新聞『ザ・ダイヤモンドバック』の編集長として活躍。その手腕を買われ大学在学中の1998年、『ニューヨーク・タイムズ』のインターンとしてニューヨーク都市圏の警察や経済ニュースなどを取材し、記事を寄稿し始める。卒業後の2001年1月、常勤記者（本採用）となり、翌年には全米担当のセクションに。インターンから全米担当までわずか4年。異例の昇格に周囲では訝しむ向きも少なくなかったが、それを公に指摘すれば人種問題に発展するため、スタッフの誰もが静観していた。

ブレアは期待に応えるように、全米を取材して回り、記事を量産した。しかし、2002年12月、一つの問題が発覚する。ワシントンで発生した狙撃事件で、彼は警察内部の争いが容疑者の尋問を台無しにしていると書いたのだが、これに対し地元検察が100%誤報であると完全否定。大事には至らなかったものの、この頃からブレアの記事の情報源が疑問視されるようになる。

そして2003年5月、決定的な事件が起きる。イラク戦争

ジェイソン・ブレア本人（2004年当時）

での行方不明兵の母親を取材した記事の内容が、当時テキサス州の『サン・アントニオ・エクスプレス・ニュース』の記者が寄稿した記事に酷似していることが発覚したのだ。

この一件が他紙でも報道されたことで『ニューヨーク・タイムズ』はチームを編成、調査を開始する。その結果、ブレアが２００２年10月以降に執筆した記事73本のうち約36本が他紙からの盗用・捏造だったことが発覚。その中には、パソコンと携帯電話を駆使し、現場にいるように見せかけ、さらに自社のカメラマンらが撮影した写真に社内ネットからアクセスし現場で見ていたかのように記事を執筆していた他、談話などは他紙やテレビ局のデータベースから盗んでいたことも明らかとなった。

タイムズ紙は２００３年５月11日付の紙面で４ページにわたりこの事件の記事を掲載し、「１５２年の歴史の中で極めて深刻な不祥事である」としたうえで、捏造・盗用を見抜けなかった責任を取る形で、当時の編集主幹と編集局長の辞任を発表した。

２００３年５月１日付でタイムズ社を解雇されたブレアは、翌２００４年、回想録を発表する。その中で、彼は不正な行為を働いた要因として「当初から黒人であるという理由

ブレアが実際に執筆した記事

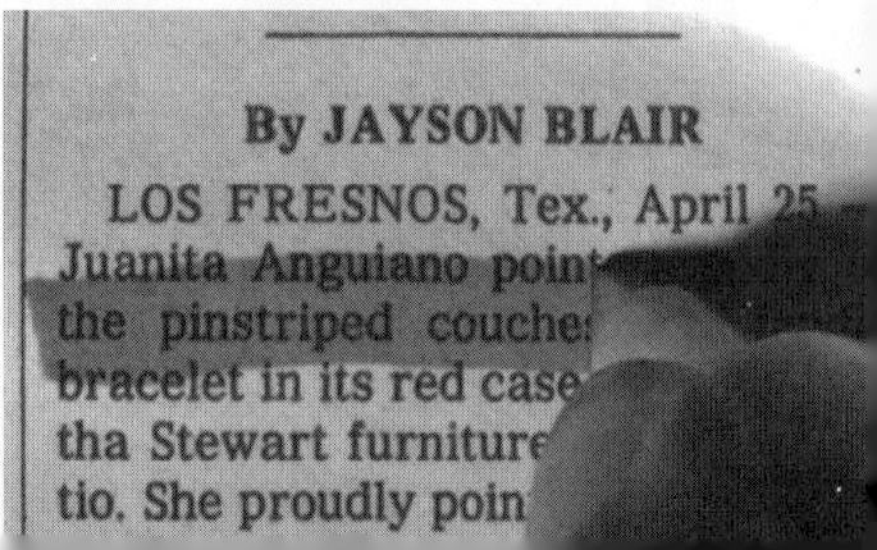
By JAYSON BLAIR

LOS FRESNOS, Tex., April 25
Juanita Anguiano poin
the pinstriped couche
bracelet in its red case
tha Stewart furniture
tio. She proudly poin

で優遇されているのが負担」で、さらには「世界的な影響力を持つ名門新聞社で働くことが多大な重圧となって自分を追いつめた」と述べている。実際、ブレアは本採用となってまもなく、プレッシャーからコカインに手を出し、病院では双極性障害の診断を受けていたそうだ。

解雇後、ブレアは大学に戻り、双極性障害を持つ人々のサポートグループを運営、2010年に疾患克服のためのコンサルティングビルをバージニア州に建設し、現在も同じ分野で働いていると伝えられている。

タイムズ社を解雇になった翌年の2004年、ブレアが発表した回想録

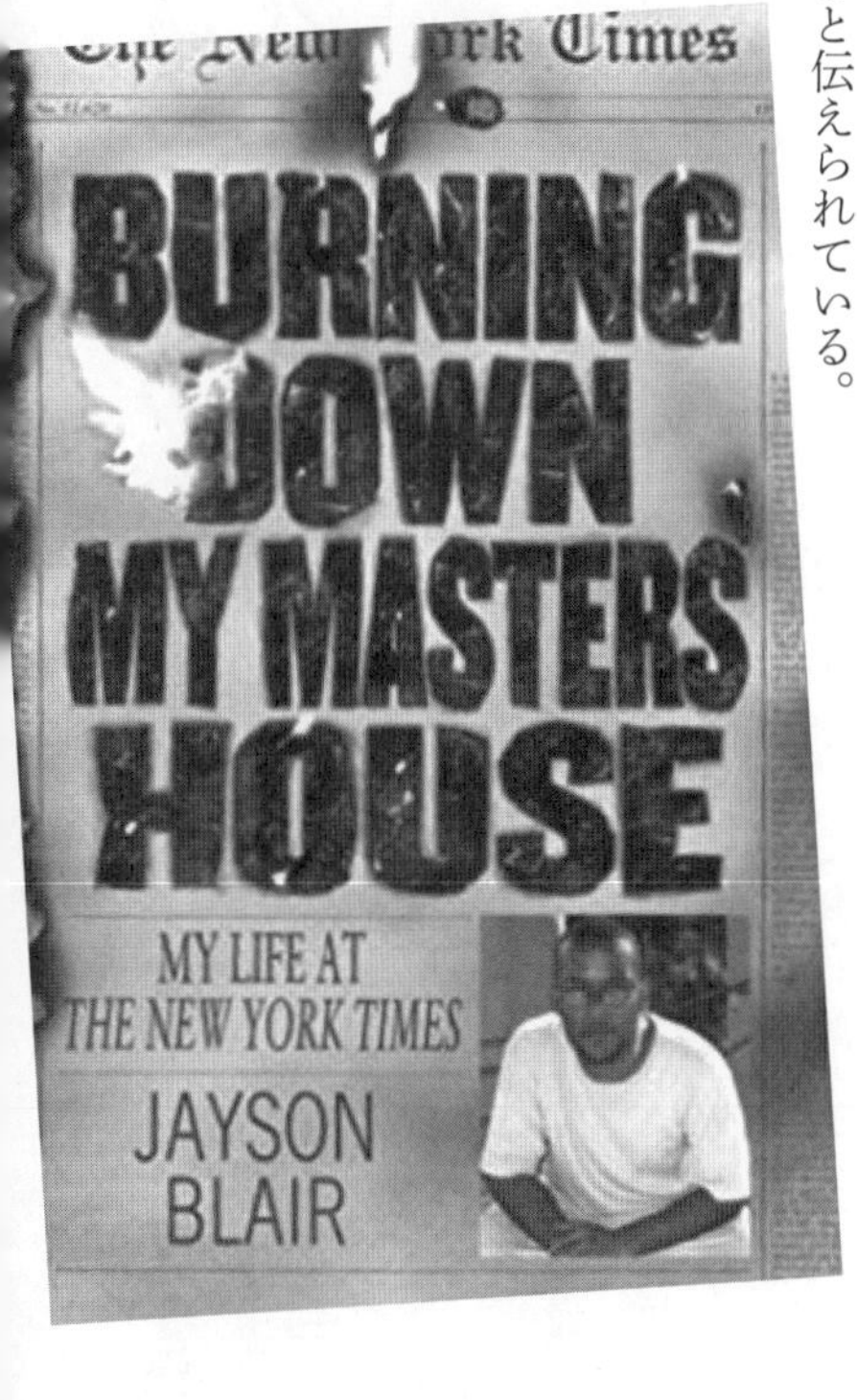

『ローリング・ストーン』誌の女性記者が、女子大生の狂言を利用
バージニア州立大学レイプ記事捏造事件

音楽や政治、大衆文化を扱うアメリカの雑誌『ローリング・ストーン』2014年11月19日号に、「A Rape on Campus（キャンパスで起きた、あるレイプ）」という記事が掲載された。内容は、同大学に通う女性ジャッキー（仮名）が2012年9月、同大学の男子学生7人から殴る蹴るの暴行を受けたうえオーラルセックスを強制されたというものだ。が、男子学生らは発売直後から記事は事実無根と主張した。

事の真偽を確かめるべく『ワシントン・ポスト』紙が、ジャッキーから事件当日、被害を伝える電話を受けたとされる彼女の同級生の女子学生3人に取材したところ、確かに電話はかかってきたものの、その直後に会ったジャッキーの体に切り傷や打撲傷など暴力を受けた形跡は全くなかったとのこと。また、記事には「3人が大学内での社交的な影響を考え、警察に届けることをとどめた」と書かれていたが、実際はその逆で、彼女らが警察に届けるように強く勧めたのをジャッキー自身が頑なに嫌がり、その様子を3人全員がおかしいと感じていたことが明らかとなった。早い話が、ジャッキーが友人に語ったレイプ被害は狂言だったのである。

記事を書いたのは、サブリナ・アーデリーというストーン誌の女性記者だった。後に判明したところによれば、彼女は常々アメリカの大学構内において強姦が蔓延しているという偏見を抱いており、そこに偶然、ジャッキーの話を聞きつけたため、これ幸いとばかりに、周辺取材を一切しないどころか多くの創作をまじえ記事を書いたようだ。

ストーン誌は２０１５年４月５日号で捏造を認め記事を撤回し、筆者のアーデリーも同誌で謝罪。また、捏造発覚後、バージニア州立大学は損害賠償の訴訟を起こし、２０１６年11月、ストーン誌とアーデリー側が３００万ドル（約３億３千万円）を支払うことで和解。ファイ・カッパ・サイも訴訟を起こし、２０１７年６月、両者が１６５万ドル（約１億８千万円）を支払うことで和解した。

『ローリング・ストーン』２０１４年11月19日号に掲載された問題の記事

数々の受賞歴を持つ花形記者が犯した不正

独週刊誌『デア・シュピーゲル』記事捏造事件

２０１８年12月、71年の歴史とヨーロッパ最多の発行部数を誇るドイツの週刊誌『デア・シュピーゲル』が、長年にわたって事実と異なる記事を複数執筆、掲載し続けていたとして、編集部に所属する当時33歳の男性記者クラース・レロティウスを解雇した。

同記者は7年間フリーランスとしてシュピーゲル誌他、ドイツ国内の新聞、雑誌に多数寄稿。さらに米誌『フォーブス』による「30歳未満の30人の欧州ジャーナリスト」に選ばれ、また米放送局ＣＮＮの「ジャーナリスト・オブ・ザ・イヤー２０１４」も受賞した花形ジャーナリストで、１年半前からシュピーゲル誌の編集職にも就いていた。

２０１８年もシリア内戦中に廃墟の壁に抵抗を訴える言葉を書き続けた少年の話が賞賛され4度目のドイツの優秀記者賞を12月3日に受賞。しかし、授賞式の17時間前、シュピーゲル社に米国のジャネットという女性からかかってきた問い合わせの電話で事態は一変する。彼女はアリゾナ州で密入国者を監視するボランティア団体の広報担当者で、２週間前にレロティウス記者が同団体について書いた記事に対し「私たちにインタビューもせずにどうして記事になったのだ」とクレームを入れてきたのだ。これを受け、シュピーゲル誌の編集部が調査したところ、この記事の共同執筆者でメキシコ側の取材をしていた記者の話から、レロティウス記者が現地を訪れてもおらず同記者が執筆した部分は全くのでっち上げであることが判明した。

この一件をきっかけに、レロティウス記者の多くの不正行為が発覚する。前記したシリアの少年の記事も全くの作り話。2018年3月に掲載された「最後の目撃者」という記事は、米テキサス州で行われた死刑執行に立ち会うことを希望した女性にレロティウス記者が同行取材したものとされたが、実はテキサス州では死刑執行に女性の立ち会いは認められていなかった。

これまでの調べで、レロティウス記者が2011年以降に執筆した記事60本のうち14本が捏造とわかっているそうだ。

ヨーロッパ最大の週刊誌『デア・シュピーゲル』と、
捏造記事を乱発したクラース・レロティウス元記者

過去に取材した大学教授の記事を丸パクリ

JR東日本の広報誌『JR EAST』が架空の経済学者にインタビューし休刊

JR東日本発行の『JR EAST』は一般書店では扱われておらず、官公庁や自治体に無料配布されている他、東北新幹線の車内などに置かれている社外向け広報誌だ。

2019年7月、同年6月号（夏号）に掲載された記事に捏造が発覚した。JR東日本によると、不正を働いたのは委託先の都内の編集プロダクションで、担当者は、2013年に早稲田大学大学院の浦田秀次郎アジア太平洋研究科教授に取材して掲載した記事を転用し、実在しない国際経済学者・浦野正次の名前で内容を一部改変、顔写真は画像ソフトで表情や角度を加工し、5ページの記事を作成していたそうだ。

転用元の2013年3月号（春号）の記事は「インフラ輸出の条件」、2019年の記事は「『質の高いインフラ』の海外展開」という題で、いずれも世界のインフラ市場やグローバル人材の育成などがテーマ。インタビューの中身はほぼ一緒で、浦田教授の言葉をほとんど変えずに引用したり、一部だけ変えたりしていた。

同誌は過去にインタビューを受けた人に無料で配られており、同号を受け取った浦田教授本人から「自分の写真ではないか。取材は断ったはずだ」と指摘があり捏造が発覚。記事の担当者は「別の有識者の調整が難航し、締め切りが迫り、ばれずに済むと思った」と話したという。

同誌は次号7月号において、捏造の事実を明らかにしたうえで「浦田教授の名誉を著しく棄損し、多大なご迷惑をおかけしたことについて、心よりお詫び申し上げます。発行側と編集制作側のチェック機能が正常に行われなかったことを深く反省しております。（中略）これまでの間、インタビュー、寄稿、執筆にご協力いただいた関係者、読者の皆様の信頼を失墜させましたことを重ねてお詫び申し上げます」と全面的に謝罪。事態を重く受け止め、7月号をもって休刊することを発表した。

1987年のJR発足以来、刊行され続けていた広報誌『JR EAST』（発行部数約2万4千部）。写真は捏造記事が載った2019年6月号

『女性セブン』が報じた罪作りなフェイクニュース
俳優の成宮寛貴が『相棒』で芸能界復帰」のウソ

2019年10月2日、雑誌『女性セブン』（10月17日号）、及び同誌を発行する小学館のニュースサイト「NEWSポストセブン」が、俳優の成宮寛貴《なりみやひろき》がテレビ朝日系の人気ドラマ「相棒」で芸能界に復帰することを報じた。

記事によれば、成宮は、同番組の3代目相棒の〝カイト〟こと甲斐享役としてシーズン11〜13（2012年〜2015年）に出演。その後も様々なドラマで活躍していたが、2016年12月、写真週刊誌で違法薬物の使用疑惑が報じられたことで芸能界引退を決意。所属事務所も辞めオランダに移住し、最近になって日本に帰国したのだという。

記事は、成宮復帰は「相棒」主演の水谷豊の後押しによるものと、芸能関係者の次のようなコメントを載せている。

「水谷さんは『ファミリー』を大切にするかた。『相棒』共演者のことは特に気にかけ、成宮さんのことも騒動後、ずっと心配していたそうです。水谷さんの働きかけもあって、成宮

11月か12月の放送回での復帰が決まったようです」

番組の看板、水谷豊の意向であれば復帰も間違いなしと思われたが、ニュースがネットで流れてまもなく、当の成宮が自身のツイッターで「ニュースにしていただいてありがたいなと思いながら、あれはフェイクニュースです」で報道を完全否定。「相棒」の脚本家の一人である輿水泰弘も「もはや風物詩のようなものだから、いちいち反応するつもりなかったけど、このフェイクニュースは看過できない。素直に信じて喜びのリプつけてる人、大勢いるし……」とツイートし、さらにはテレビ朝日もメディアの取材に対し「そのような予定はございません」と回答した。

このニュースが何の裏取りもしない、いわゆる〝飛ばし記事〟であることは明らかだが、復帰決定を信じた成宮ファンを落胆させた意味で、その罪は決して軽くない。

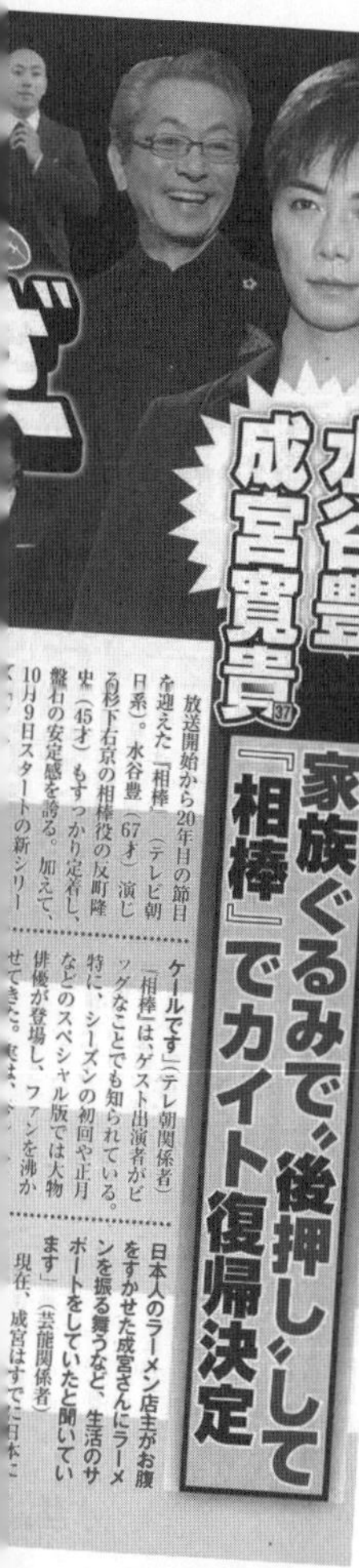

『女性セブン』2019年10月17日号の誌面より

第4章

やらせTV

解答は全て事前に教えられていた

人気クイズ番組「21」八百長スキャンダル

俳優ロバート・レッドフォードがメガホンをとった1994年公開の映画「クイズ・ショウ」は、1950年代アメリカの人気クイズ番組「21」で起きたやらせ事件の顚末を、ほぼ史実どおりに描いた作品である。番組プロデューサーはもちろん、テレビ局の社長やスポンサーまでもが司法当局の聴聞会で尋問されたこのスキャンダル、事が明らかになったきっかけは、勝者から敗者に落とされた1人の解答者の告発だった。

1950年代半ば、アメリカはテレビの黄金時代を迎えていた。各家庭にテレビの受像機が急速に普及してゆくなか、高額の賞金を売り物にした番組が乱立。中でも視聴者参加型のクイズ番組が人気を誇っていた。「21」は、それまで視聴率トップの座に君臨していたCBSの「6万4千ド

左／スキャンダルの舞台となった「21」の実際の放送風景。中央が司会のジャック・バリーと、アシスタントのヴィヴィアン・ニアミング。左がヴァン・ドーレンで、右のブースにいるのがハーブ・ステンペル。この放送回でチャンピオンが交替した。

ルの質問」に対抗し、NBCが1956年秋にスタートさせた生放送のクイズ番組である。2人の解答者が防音ブースに入り、難易度順に得点分けされた問題を交互に選び競い合うスタイルで、勝利者は次週も出演が続き、賞金も天井知らずに伸びていく。

当時、クイズ番組で勝ち抜いてお茶の間のスターとなり、テレビタレントに転身する者も誕生し始めており、チャールズ・ヴァン・ドーレン（1926年生まれ）も、その1人だった。ピューリッツァー賞受賞の詩人を父親に持つ名門の生まれのコロンビア大学講師で容姿端麗。ヴァン・ドーレンが番組に出演すると視聴率はグングン伸びて31％を突破し、ついには15週勝ち抜きの新記録を作り、13万ドル（現在の価値で約2億円）の賞金を獲得。ヴァン・ドーレンは知的ヒーローとして『タイム』『ライフ』などの一流雑誌の表紙を飾り、クイズに敗れた後も、モーニングショー「トゥディ」のコメンテーターと

して人気を博した。

しかし、彼が築き上げた名声は全て仕組まれたものだった。視聴率を上げるため、番組プロデューサーがテレビ映えのするヴァン・ドーレンに毎週答えを教え、意図的に祭り上げていたのだ。

この事実を暴露したのが、ヴァン・ドーレンの前にチャンピオンの座にいたハーブ・ステンペル（1926年生まれ）なる男性だ。彼は、とあるパーティでプロデューサーと知り合い、その博学を買われ番組に出演。ヴァン・ドーレンと同様に事前に答えを教えられ、毎週勝ち続けていた。

冴えない風体の市井の人間が夢のような大金を掴む。これぞアメリカン・ドリーム。しかし制作側の意図とは裏腹、視聴率はしだいに下がり、スポンサーは代わりのチャンピオンを探すよう圧力をかける。それがヴァン・ドーレンだった。

ステンペルは、プロデューサーの「他の番組に出演させる」という口約束を信じ、第28回アカデミー最優秀作品賞のタイトルを尋ねる問題に、わざと「波止場」と間違え、ヴァン・ドーレンにチャンピオンの席を譲る。ちなみに正答である「マーティ」を彼は3回も観ていた。

果たして、番組出演の約束は実行されず、一方でヴァン・ドーレンが英雄視されていく。この状況に怒り心頭のステンペルは大陪審に番組の不正を告発する。が、他の証言者は事実を隠ぺいし、調査はいったん封印されてしまう。しかし、この報道を新聞記事で見かけた立法管理小委員会の捜査官リチャード・グッドウィンが疑問に感じ、独自で調査に乗り出す。彼には有名番組の不正を暴くことで、自分の名を売りだそうという思惑もあったようだ。

事の真相は大陪審が開いた聴聞会で白日の下にさらされる。証人として出廷したヴァン・ドーレンが涙ながらに、自分が八百長に手を染めていたことを告白したのだ。同じくプロデューサーも不正を認めたが、テレビ局やスポンサーとの関与は最後まで否定し続けた。

事件発覚後、ヴァン・ドーレンはコロンビア大学を解雇され、百科事典の編集者、作家などを経て故郷コネチカット大学で教鞭を執り2019年4月に93歳で死去。ステンペルはニューヨーク市運輸局で働き、2020年4月にこの世を去った。

聴聞会に出廷したヴァン・ドーレン（中央）

ディレクター自ら暴力行為を指示

「アフタヌーンショー」やらせリンチ事件

「やらせ」という言葉は、もともとテレビ局や新聞社などの業界人が使っていた〝隠語〟だった。それが世間一般に広まったきっかけは1985年、ワイドショー番組「アフタヌーンショー」で起きた事件だとされている。

「アフタヌーンショー」は、1965年4月から始まったテレビ朝日制作の昼ワイドである（平日12時～12時55分の生放送）。1974年に俳優の川崎敬三が司会に就き、芸能リポーター梨元勝や俳優

テレビ朝日の昼の帯ワイド「アフタヌーンショー」。事件発覚当時の司会は川崎敬三、アシスタントは関西歌劇団出身の今村優理子。事件リポーターの山本耕一と川崎とのやり取りを漫才コンビのザ・ぼんちがネタに取り上げ「そ～なんですよ川崎さん」「A地点からB地点まで」などの流行語を生んだ

の山本耕一らがレギュラーに加わると、スピード感のある進行で番組は黄金期を迎えた。

ところが、1985年8月20日に放送した「激写！ 中学女番長！ セックスリンチ全告白」という企画でやらせ行為があったとして突如、番組が打ち切りになる。

内容は、東京都福生市内の多摩川河川敷で、暴走族のメンバー約60人がバーベキューをしていたところ、参加していた〝女番長〟2人が「ヤキを入れる」と言い出し、女子中学生5人にリンチするというもので、番組はドキュメンタリーとしてオンエアされた。

放送内容をもとに警視庁の少年課と福生署が捜査を行い、10月8日までに暴行した2人の女番長（当時16歳と17歳）を暴力行為容疑で、暴行を指示した元暴走族のリーダーで石工の男M（同30歳）と、別の暴走族の元リーダーだった男Y（同28歳）を暴力行為教唆容疑で逮捕する。

彼らの供述で驚愕の事実が発覚した。何でも、6年前に番組に出演した関係から、テレビ朝日第一制作局に勤務する男性ディレクターN（同33歳）に「リンチショーを撮りたい」と依頼を受けたYが、一緒に何度か食事をおごられたことのあるMを紹介。Mは、毎年夏に開催するバーベキューパーティでケンカが起きることをディレクターに伝え、そこでリンチシーンを撮影する話がまとまったという。

8月3日、Mが仲間を集めたバーベキューパーティを開催。その最中に、懇意だった2

人の不良少女に、酔っ払っている女子中学生をシメてこいとハッパをかけたことで想定どおりのリンチ行為が発生する。女子中学生らは一切事情を知らされておらず、ただ一方的に殴る蹴るの暴力を受けるだけ。ディレクターNは現場でも暴力をけしかける指示を出しており、撮影終了後、Yに14万円、Mには1万円の謝礼が支払われたそうだ。

問題発覚当初、テレビ朝日はパーティ情報を得て遠方から隠し撮りをしたとして「やらせ」を否定していたが、10月11日、ディレクターNに対し暴力行為教唆容疑で逮捕状が出されたため、14日の放送で、社長が視聴者に向けて謝罪。正式にやらせがあったことを認めた。

翌15日、リンチを受けた中学生5人のうちの1人の母親が9月23日に福生署へ告訴状を提出した。その足で「死にます」とのメモを残し、青梅線の踏切から電車に飛び込み自殺をした事実が判明。動機は不明ながら事件との関与が疑われ、16日には司会の川崎敬三が番組中に降板を表明する。同日、ディレクターNは逮捕され、テレビ朝日から懲戒解雇された。

こうした状況を受け、番組の提供スポンサーは全て降板。「アフタヌーンショー」の打

事件は大々的に報じられた

川崎 突然の降板宣言
涙で「責任取ります」
テレ朝大揺れ 社長ら減俸処分
司会12年目…
家族も賛成してくれた
1カ月後メドに新企画に変更

ち切りが決定し、18日に最終回を放送。ほどなくディレクターNに罰金10万円、MとYにそれぞれ罰金5万円の略式命令が下り、少女2人は家庭裁判所に送致された。

事件の影響は大きかった。右翼の街宣車がテレビ朝日に乗り付けたり、週刊誌などが「暴走するテレビ局」「地に落ちたテレビ局」と騒ぎたて、テレビ朝日の視聴率はキー局4位に転落。「アフタヌーンショー」は1987年3月から川崎敬三と女優の古手川伸子を司会に「新・アフタヌーンショー」として復活したが、わずか半年で打ち切りとなった。

ちなみに、ディレクターNは事件翌年の1986年3月、事の顛末をまとめた『テレビ朝日やらせリンチ事件の真実――ピエロの城』を出版。その中で暴力を指示した事実は一切なく、上司にも教唆を否定していたが、会社側から「会社の意を酌め」「警察の心証をよくしろ」「裁判で争うようなことはしてくれるな」などの指示があったことに加え、他の逮捕者を解放できるとの考えから、警察の言い分を全面的に認めるに至ったと綴っている。

スポンサーが全て降板したなか、番組は
1985年10月18日に最終回を迎えた

スタッフに高山病にかかった演技をさせ、流砂や落石を人為的に発生

NHKスペシャル「奥ヒマラヤ禁断の王国・ムスタン」事件

1989年から放送を開始した「NHKスペシャル」(以下、Nスペ)はドキュメンタリーから調査報道、ドラマ、スポーツ、芸術まで、視聴率に左右されない綿密な取材と大胆な演出で高い評価を受けてきたNHKの看板番組である。

1992年9月30日と10月1日、同番組は二夜連続で、「奥ヒマラヤ禁断の王国・ムスタン」と題したドキュメンタリーを放送した。ネパール領のムスタンは、標高約3千メートルに位置する自治的地区で、NHKが他メディアに先んじネパー

長い間、外国人立ち入り禁止だったため「禁断の王国」とも称されるムスタン

ル政府から入国取材の許可を得て、2年の予備調査と3ヶ月の現地撮影を敢行。世界で初めて厳しい自然の中で暮らす人々の姿を伝えたとして番組は大好評を博し、年末には総集編が放送された。

ところが、年が明けた1993年2月3日、朝日新聞朝刊が「主要部分　やらせ・虚偽」の見出しを付けた1面トップでスクープ。金銭を渡して住民に雨乞いをさせ、人為的に落石や流砂を作り、取材スタッフに高山病のマネをさせたなど約60ヶ所の虚偽シーンがあったとNスペのやらせを報道。同日夕刊では、番組に登場したオオカミの子供を持ち帰って日本の動物園に寄付したことが、希少動物保護のワシントン条約の精神に反するのではと問題を投げかけた。

番組のやらせを追及する1993年2月4日付の朝日新聞

メディア

緊急報告　NHK　やらせ番組の周辺　中

「謝礼ばらまき」に批判

日本の金銭感覚で行動

NHKスペシャル「奥ヒマラヤ　禁断の王国・ムスタン」の取材に同行した一人が語った。

「地元の住民に何かにつけ、金を払う取材だった。まさに、金、金、金だった」

人為的な流砂や落石、演技だった高山病などの「やらせ」とは別に、必要以上ともいえる現金をあちこちで支払ったという取材班の姿勢にも、批判の目が向けられている。

取材班関係者の話によると、撮影依頼を受け入れた住民に謝礼を支払った場面は、①少年僧の雨ごい②僧りょの雨ごい③王宮の祝宴④チベット医（アムチ）に患者が治療を受けたとき、などをあげている。

同行者によると、③の祝奏した楽士には、日本円に換算して五百円ほどを渡したという。五百円だと、現地では十日分以上の生活費になるといい、この同行者は「日本の金銭感覚を持ち込んだ取材は、現地の人たちにとってどうなのか、疑問だった」と話す。

これに対し、NHKでは、「僧りょには、現地の風習に従い、寄進としてお金を支払い、楽士にもお金を払った。ほかは、少年僧には靴を、患者には菓子を贈っただけで、現金は渡していないとの話もあり、調査中だ」と答えている。

同行者は「取材班が持ち帰ったオオカミも、村人が持ち込んだものだが、それも取材班が金をばらまいているのを知ったからだろう」と話している。

NHKの取材班が、現金を払って取材している例は少なくない。同じ様に事実の食い違いが指摘された、九〇年五月放送のNHKスペシャル「そしてチュちゃんは村を出た」では、村々に電気製品を売り歩く場面に登場した電器商に謝礼を払ったことも明らかにされた。

今回は、取材過程の撮影協力費だけでなく、ムスタンへの撮影許可料も焦点の一つとなっている。

番組では、十数年前からNHKがムスタンの撮影を希望した末に、世界のテレビ局として初めて実現した経緯を紹介した。撮影許可料について、NHKは、「五万ドル（約六百二十万円）以下の数万ドルをネパール政府に支払った。これも、相手の希望額を再交渉で値切ったものだ。同様に撮影を希望した英BBCは十万ドルを提示していたが、相手側がNHKを選んだ」と、高額ではないことを強調する。

しかし、NHKとほぼ同時期にムスタン取材を交渉したテレビ朝日は、撮影許可料の高さを理由に断念した。「ニュースステーション」の大谷映芳ディレクターは、「あまり高額な撮影

NHKスペシャル
「奥ヒマラヤ・禁断の王国ムスタン」
についての訂正とおわび
スタッフが高山病にかかったシーン
➡“演技だった”

NHKが四日夜総合テレビで放映した「訂正とおわび」の画面＝いずれもNHKテレビから

報道を受けNHKは6ヶ所の問題点を認め、会長自らが「事実を歪めた」と謝罪したが、朝日新聞はNHKが認めた6ヶ所を遥かに上回る19ヶ所にやらせがあったと指摘。さらに、番組ディレクターが視聴率アップのため、放映に合わせて「良い番組なので子供に見せてほしい」という内容の手紙を東京や神奈川の小・中・高校に大量に送っていたこと。また、NHKの関連会社が日産自動車からPRビデオ制作などの名目で1千万円超の資金提供を受け、番組で日産製の車を使って「NISSAN」というステッカーを貼って撮影していたことを報じ、放送法がNHKに禁じている「広告の放送」にあたるのではないかと指摘した。

NHKの調査委員会は、2人を現地に派遣。2週間にわたって40人からの聞き取りを行った結果を、朝日新聞の疑問に答える形で2月17日の放送で明らかにする。

▼事実と異なる点

- 3ヶ月、雨が一滴も降らない→テントに水滴が付く程度の降水はあった。
- 少年の馬が死んだ→少年の馬ではない。
- 老人が水不足に関して王へ直訴→水不足とは無関係な話だった。
- 小学校の授業でヤギを解剖→授業ではない。

■砂曼荼羅の砂を子供たちが食べた
↓口に含んで健康を祈っただけで呑み込んでいない。

▼**行きすぎた表現**

■スタッフが高山病にかかった場面
↓何人かが高山病になったが、より誇張して演技した。
■岩石が崩れ落ちる場面&流砂現象の場面↓スタッフがわざと引き起こしたもの。

▼**担当ディレクターの落ち度**

■希少オオカミを持ち帰ったこと↓法には触れていないが、独断で行っていた。
■車に貼ったステッカーについて↓

番組で「砂曼荼羅の砂を子供たちが食べた」と
説明された場面は、実は口に含んだだけ

車両はレンタル品だがステッカーは担当の独断だった。

担当ディレクターは、番組をより感動的に、より面白くしたいという熱意のあまり、やらせ行為を行ってしまったと弁明。NHKは、会長と放送局長は減給、さらに番組を担当した制作局の幹部は減給&降格、直接のディレクターには停職6ヶ月の処分を発表した。

NHKの看板番組によるやらせ発覚に2千600件の抗議電話が殺到したという。が、その後もNスペではたびたび問題が

ワシントン条約で規制されているオオカミを1,800円で購入し日本に持ち帰ったと指摘されたシーンについて、NHKは「法に触れていないが上司への確認がなくディレクターの独断だった」と説明

発覚。２００２年４月28日の「奇跡の詩人〜11歳 脳障害児のメッセージ〜」で取り上げられた、文字盤を指すことによる執筆活動で人々の反響を呼んでいた少年は、その不自然な動きから、実は母親が少年の手を動かして文字盤を指させているのではないかと物議をかもした。また、後に聴覚障害はウソで、自身が作ったとされていた楽曲もゴーストライターによるものと発覚する佐村河内守氏を取り上げた２０１３年３月放送の「魂の旋律 音を失った作曲家」では、番組スタッフは全て事前にその事実を知っていたのではないかと取り沙汰されている。

役者の卵が残した遺書で番組の腐敗が発覚
「愛する二人　別れる二人」ニセの妻自殺事件

1998年10月から翌年11月までフジテレビで放送された「愛する二人　別れる二人」は、一般から募集した問題を抱えた夫婦が登場し、互いへの不満を吐き出させ、結婚生活を続行するか離婚かを迫るヒューマンバラエティである。

「あんた、他に女がいるんでしょ!?」「うるせぇなぁ、お前だって家事もろくにしないで」などという激しいトークバトルや、不倫相手が乱入しての掴み合い。さらには司会のみのもんたやパネラーの中尾彬、デヴィ夫人、飯島愛たちがシビアな意見を放ち、言われた相手がモノを投げて番組スタッフに制止されるなどのハプニングが受け、視聴率20％以上を連発する人気番組となった。

ところが、あまりに期待どおりに進むスリリングな展開に、次第にやらせではないかとの声が上がり始める。離婚の危機にある夫婦が一緒にテレビに出たり、愛人が都合よくスタンバイしているのはおかしくないか。さらに夫婦の片方がキレて暴れ出したときにカメラがしっかりその様子を捉えているのは台本があるからではないか等々。放送開始から不自然な演出が指摘されていたものの確たる証拠はない。

しかし、番組に出演した女性が後に自殺したことで、図らずも番組制作の腐敗が明らかになる。警察の捜査の過程で発見された女性の遺書に、やらせの実態が事細かに書き残されていたのだ。

残された遺書によると、20代前半だったA子さんは1998年秋、放送が始まってすぐに番組に出演。「夫」と激しく言い争ったすえ、最終的に離婚届にハンコを押す。理由は「夫の暴力に愛想が尽きた」というものだった。が、実際のところ彼女は、離婚どころか結婚したこと

番組は、問題を抱えた夫婦に離婚するかどうかを迫るというもの。
司会はみのもんた

すらなかった。

実はA子さんはモデル事務所に所属する役者の卵だった。彼女にとって番組への出演は、事務所から振られた仕事であり、「夫と別れたがっている妻」を演じたにすぎない。出演時、A子さんは実際の放送を見たことはなく、「私の感覚としては、最初はワイドショーなんかでよくある再現ドラマのようでした」と記している。

実際、キャラクターも細かく設定が決まっていて、事前に夫との関係や、暴力のシチュエーションも説明されたという。

「私はスタジオでみのさんやデヴィさんの質問に答えなきゃならなかったから、その意味では結構緊張しました。ただ、演技自体はワリと楽でしたよ」

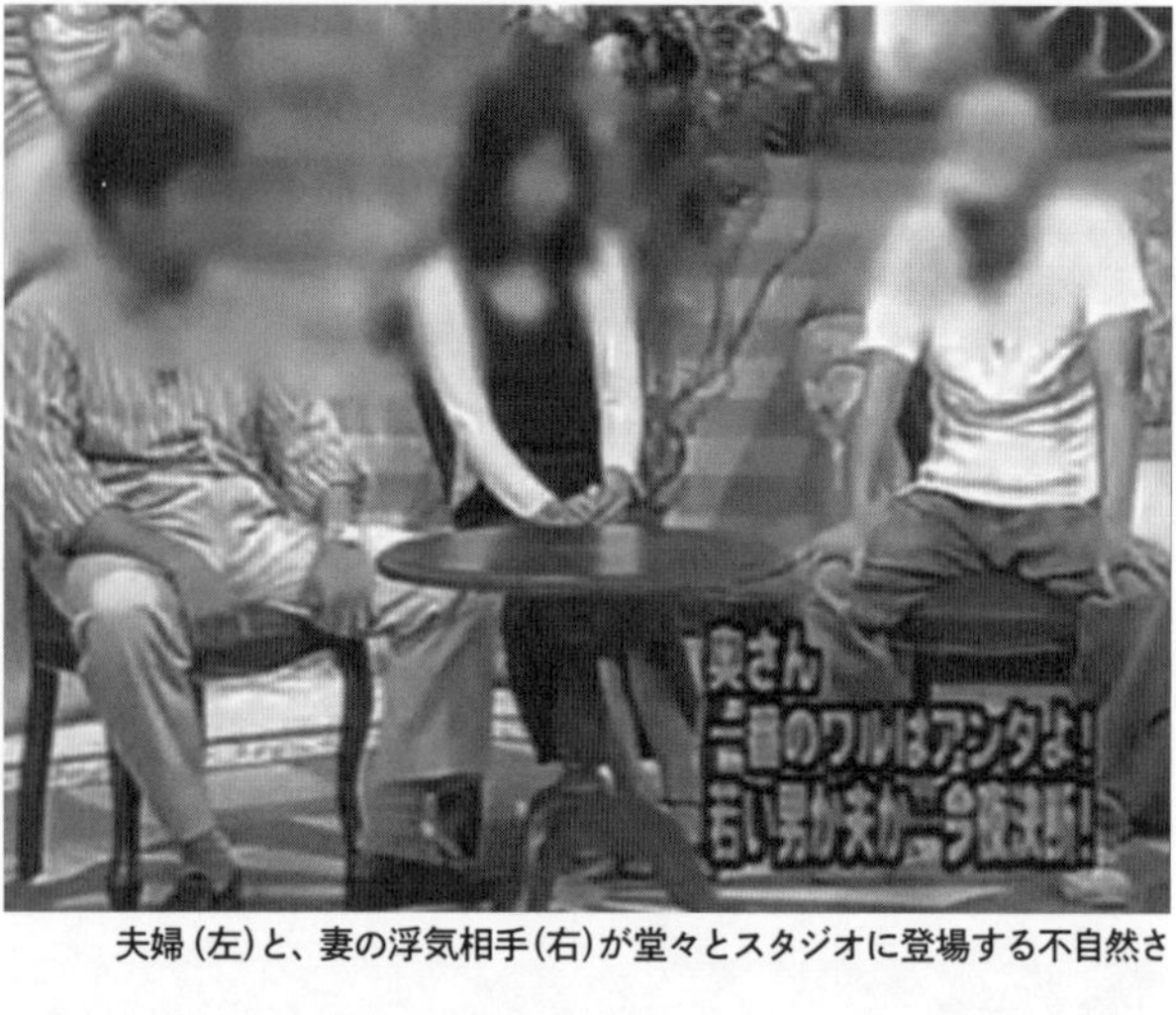

夫婦(左)と、妻の浮気相手(右)が堂々とスタジオに登場する不自然さ

A子さんは番組出演が決まった後、スタッフに、「とにかく暴力の酷さを訴えてください」「控室でもカメラは回ってますからしっかり演技してください」と指示され、打ち合わせにはA子さんの「夫役」を演じる男性も来ており、そこで初めてスタッフから紹介されたのだという。

問題発覚後、レギュラー出演者の中尾彬が、やらせであることはスタッフ側から聞かされるまでもなく最初からわかっていたとコメントしたものの、その他の出演者はやらせであると直接聞かされたことはなかったと答えるにとどまった。

こうした事態を受け、スポンサーらが番組を打ち切らなければ降板すると表明。フジテレビ内部からも、視聴率が得られても内容自体に問題がありすぎるという声が上がり、打ち切りが決定したが、最終回の視聴率が過去最高の27・4％を記録したのは何とも皮肉な話である。

問題発覚後、フジテレビが、やらせで有名な下請けの番組制作会社に丸投げしていたこと、企画時に複数の編成部員が番組制作に反対する建白書を提出したものの、編成副部長が反対意見を押し切った形で放送が開始されたことなども明らかになった。

当の番組制作会社は、放送が終了した後に「作為的な事実捏造」を否定し、出演者は一般から公募された本物の夫婦だと思っていたとの旨を発表している。

番組台本が暴露されても疑惑を認めず幕引き
全くガチじゃなかった「ガチンコ！」のウソ

「ガチンコ！」は、TBS系列で1999年4月から2003年7月まで放送されていたTOKIO司会のバラエティである。数あるコーナーの中でも特に人気があったのが2000年頃から始まった「ガチンコファイトクラブ」シリーズだ。不良少年を集めてスパルタ式の指導でプロボクサーを育成する企画で、参加少年たちによる罵声の応酬や乱闘騒ぎ、視聴者を煽るナレーション、インパクト重視のテロップなどが受け、番組は高視聴率を記録するようになる。

しかし、このコーナーは当初からやらせの疑惑が

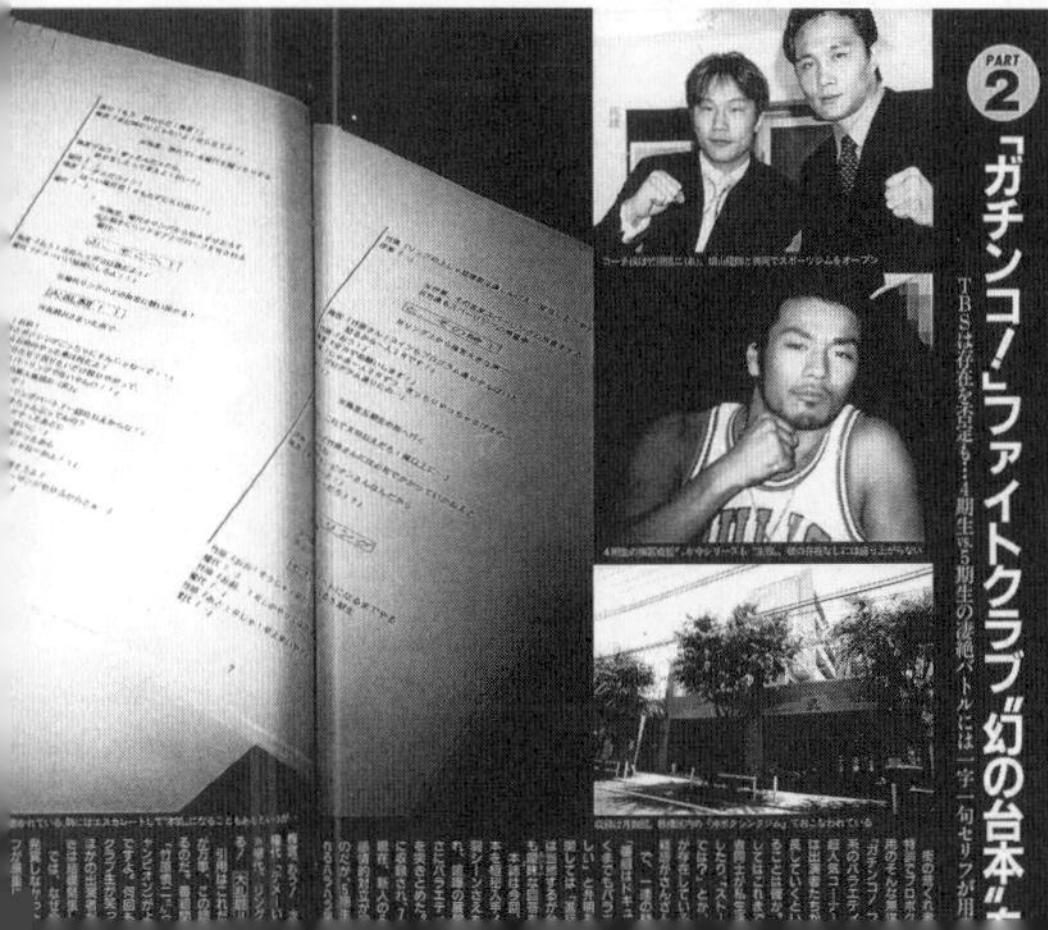

写真週刊誌『FLASH』にスクープされた"幻の台本"

持たれていた。カメラが回っているときだけクラブ生同士がケンカをするなど、ご都合主義な展開や出演者の拙いセリフ回しがいかにも不自然に映ったのだ。

　2002年、少年たちを指導していたコーチ役の元ミドル級世界王者・竹原慎二氏の腰に「台本らしきもの」が提げられている写真が週刊誌に掲載され、その後、写真週刊誌『FLASH』に番組の台本がそっくりそのまま掲載されたことで「ファイトクラブ」のみならず、番組全体がやらせではないかとの多くの批判が寄せられる。対し、TBS側はあくまで〃ガチンコ〃と弁明したが、反目していたはずの出演者たちが大学のサークル仲間として他の番組に仲良く出ていた事実が発覚。さらに「台本があった」「役を演じさせられた」などと証言する者まで現れ、もはや言い逃れできない事態となった。

　しかし、TBSは同局の番組審議会や放送倫理・番組向上機構（BPO）へ寄せられた苦情への回答を拒否する。2003年に入り、内容のマンネリとやらせの表面化により視聴率が下がり気味となったことと、TOKIOのイメージダウンを危惧し、番組は「ファイトクラブ」など暴力的かつやらせ疑惑のあった企画の一切を打ち切り、グルメ企画を開始するなどのリニューアルを施したが、視聴率はさらに低下。TBSは証拠隠滅を図るように同年7月29日をもってこの番組の放送を終了した。

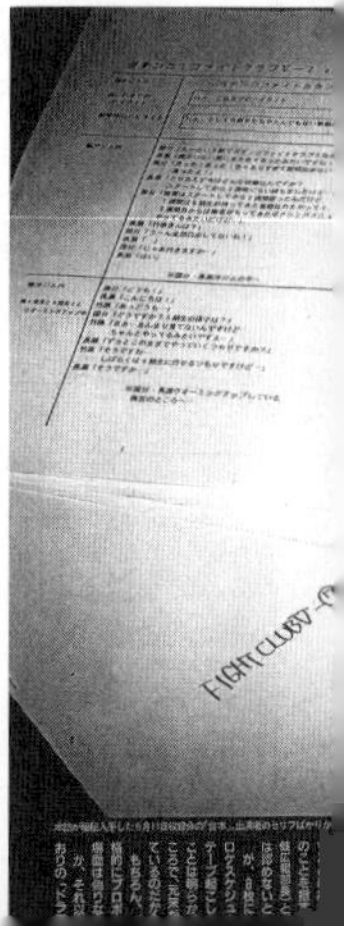

実験していない数値や写真を勝手にでっち上げ放映

「発掘！あるある大事典」データ捏造事件

１９９６年〜２００７年に放送されたフジテレビ系「発掘！　あるある大事典」（２００４年４月からは「〜大事典Ⅱ」に改題）は、健康・からだ・食に関する情報を紹介し、平均視聴率15％前後を記録した人気番組である。

番組では毎回、一つの食品などを取り上げ独自に実験。データを示しながら効能を解説していくスタイルで、放送翌日には取り上げた商品がスーパーで売り切れるほどの反響を呼んだ。

しかし、肝心の実験内容については専門家が見ると明らかにおかしいとの指摘が相次いでいた。例えば、「寒天で本当にヤセるのか!? 徹底検証」の回では、「15人の被験者が２週間、毎食前１５０グラムの寒天を食べることによって痩身効果を得た」と解説したが、寒天以外の食事内容は15人ともバラバラなうえ、生活条件は不明示。実験をする際の〝同じ条件のもと〟という大前提が崩れていた。しかも被験者数が少なく、対照実験（似たようなものを用いて比較して有効性を確かめる実験）が行われたかどうかも不明確なため、専門家は多くの実験結果を、あくまで「個人差レベル」と評した。

そもそも食品で効果をもたらしているのは特定の成分であり、決まった食品から摂取する必要はなく、また人によっては食べることで逆に健康を損なう可能性のあるものも存在する。それが証拠に2004年、番組内で紹介した「にがりダイエット」では実際に番組を見て試した人が下痢などの症状を訴えるケースが報告され、後に厚生労働省が警告を出している。

こうした指摘、批判を受けつつも高視聴率に支えられた番組は盤石だった。が、2007年1月7日に放送された「食べてヤセる!!!食材Xの新事実」の回で致命的な不祥事が発覚する。

問題回の反響は凄まじく、放送翌日より
全国のスーパーから納豆が消える騒ぎに

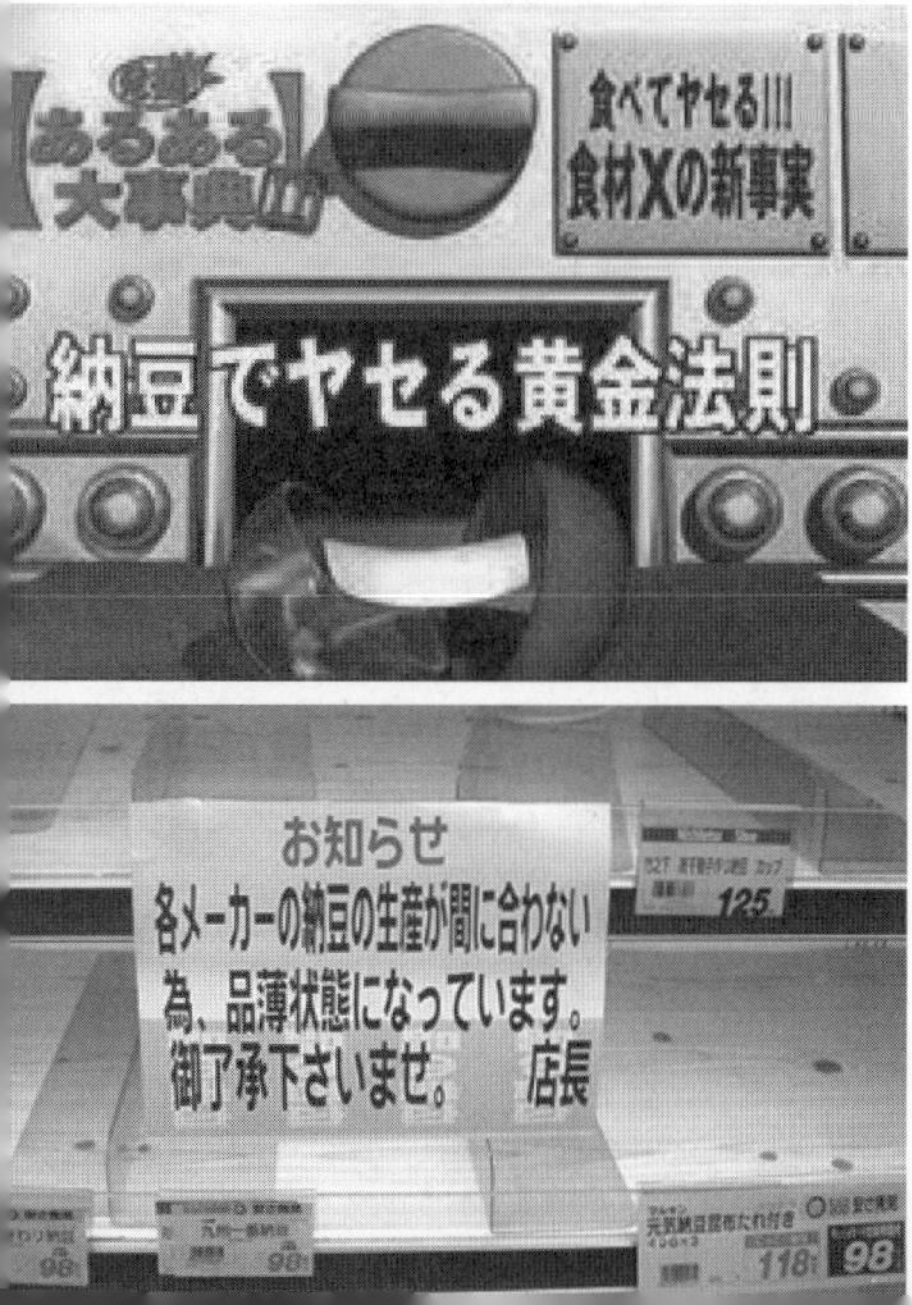

食材Xとは納豆のことで、納豆に含まれるイソフラボンを摂取すれば副腎皮質から分泌されるDHEAなるホルモン物質が増加し、ダイエットに繋がるとの内容だった。

納豆という手軽な食材だったせいか反響は凄まじく、放送直後から売り上げが急増。何日間もスーパーマーケットなどの小売店から納豆の姿が消えるほどの大騒ぎとなる。

このあまりに不自然な現象に、以前から番組の信憑性に疑問を抱いていた『週刊朝日』が「納豆ダイエットは本当に効くの?」との記事を掲載(2007年1月26日号)、制作を担当していた関西テレビに質問状を送る。対し同局は1月20日、実際には血液検査を行っていないにもかかわらず虚偽のデータを放映していたことが判明したと公表。あわせて翌21日の放送を中止することも発表した。

驚くべきは、番組の根幹部分が捏造されていたことだ。関西テレビの社内調査によれば、納豆にダイエット効果があると証言していたはずのアメリカの大学教授のコメントや実験データなどがデタラメで、痩せた被験者として取り上げた写真は実験とは無関係なものだったという。さらに番組で行った実験では、中性脂肪値が高かった2人の被験者が納豆を食べて正常値に戻ったと紹介されたが、実際にはコレステロール値、中性脂肪値、血糖値についての検査は行われていなかったそうだ。

この捏造事件はマスコミで大きく報じられ、1月23日、急きょ番組の打ち切りが決定し、関西テレビ社長が辞任。事態を深刻に受け止めた民放連は同局を除名処分にし、政府が「捏造放送」への行政処分を強める放送法改正案を国会に提出する事態に発展した。

後に関西テレビは社内調査に加え第三者による調査委員会を立ち上げ、番組520回の放送全てを検証。その結果、納豆ダイエットの回以外にも「チョコレートで本当にヤセるのか?!」「寒天で本当にヤセるのか!?」「エッ?!　3分でいいの!?　有酸素運動の新理論」「あなたのダイエットフルーツはどっち?　みかん or リンゴ」など7つの回で事実と異なる内容があったことを公表。2007年4月3日には「私たちは何を間違えたのか　検証・発掘!　あるある大事典」と題した検証番組で、捏造事件の経緯、再発防止のための取り組みなどを放送した。

しかし、オンエア直後から関西テレビやキー局のフジテレビなどに800件を超す苦情の電話やメールが殺到。内容は「言い訳ばかりで反省が見られない」「なぜ、出演していた制作スタッフの顔を隠して音声まで変える必要があるのか」「処分が甘すぎる」など、辛辣なものだったという。

事件はメディアによって大きく報じられた

テレビ司会者が自作自演で凶悪犯罪をスクープ

ブラジル「カナル・リブレ」やらせ殺人事件

ブラジル北部のマナウスは、アマゾン川の支流沿いにある観光スポットだが、高い犯罪率を誇る凶悪都市でもある。

1990年代〜2000年代、そのマナウスのローカルテレビで人気を博していたのが「カナル・リブレ」（自由なチャンネルの意）なる昼の情報番組だ。「社会正義のために犯罪と戦うことを目的とした調査報道」をテーマに、警察の強行突入や逮捕の瞬間を生放送。焼死体から煙が上がる生々しい殺人現場や、鑑識が到着したばかりの遺体発見現場から中継を行うなど、常識外れの過激映像で高い視聴率を誇った。

番組の顔は、MC兼プロデューサーのウォレス・ソウザ（1958年生）。元警察官という立場を生かし、警察内部の人脈を作り上げた彼は1989年に番組を立ち上げ、たちまち地元では知らない人はいない人気コンテンツに成長させる。後にソウザは政界にも進出し1998年、ブラジル自由党の議員に。2000年にはアマゾナス州の州議会議員にトップ当選を果たし、自他ともに認めるマナウスのヒーローに上り詰める。

「カナル・リブレ」の売りは、警察が到着する前に犯罪現場を伝えることだった。が、番組スタッフが毎回のように第一発見者となったり、犠牲者の映像が多数出てくる点について、以前からやらせ疑惑が持ち上がっていた。

それを決定づけたのが、2008年の冬に放送された、マフィアの抗争で死者が出た事件を取り上げた回のこと。目撃者が銃声を聞いて警察に電話すると、真っ先に「カナル・リブレ」のスタッフが駆け付け、リポートを始めたのだ。警察は通報10分後に到着し、番組スタッフから情報を聞いていた。

視聴率を稼ぐため自ら殺人を指示していたとされるウォレス・ソウザ。2010年、51歳で病死

これまでにも同じようなことが起きていて、その回でスタッフが見つけた麻薬密売人の遺体は殺害直後のもの。事前に事件の発生を知っていないと到底見つけることは不可能で、警察はこれを不審に思い、番組が事件と関係しているのではないかと捜査を開始する。

翌2009年10月、マナウス市内の検問

で、１台の車両のトランクから麻薬と違法ライフルが発見された。車の所有者モアシル・ダ・コスタはソウザのボディガードを名乗る男で、そのときダ・コスタが所持していたライフルの銃弾が、前年のマフィアの殺人事件現場に残されていた銃弾と一致した。さらに、そのライフルの所有者としてソウザの息子ラファエルの名前が登録されていたことも判明する。

さっそくソウザの自宅を家宅捜索した警察は室内で大量の現金、銃弾を発見。同時に見つかった人名リストを調べたところ、リストアップされていた人間のほとんどが殺され、殺人事件の被害者として番組で放送されていたことがわかった。さらにソウザの通話記録を調べると、マフィアの幹部へ通話が行われた翌日にリストの人物が殺されていることも判明。もはや、電

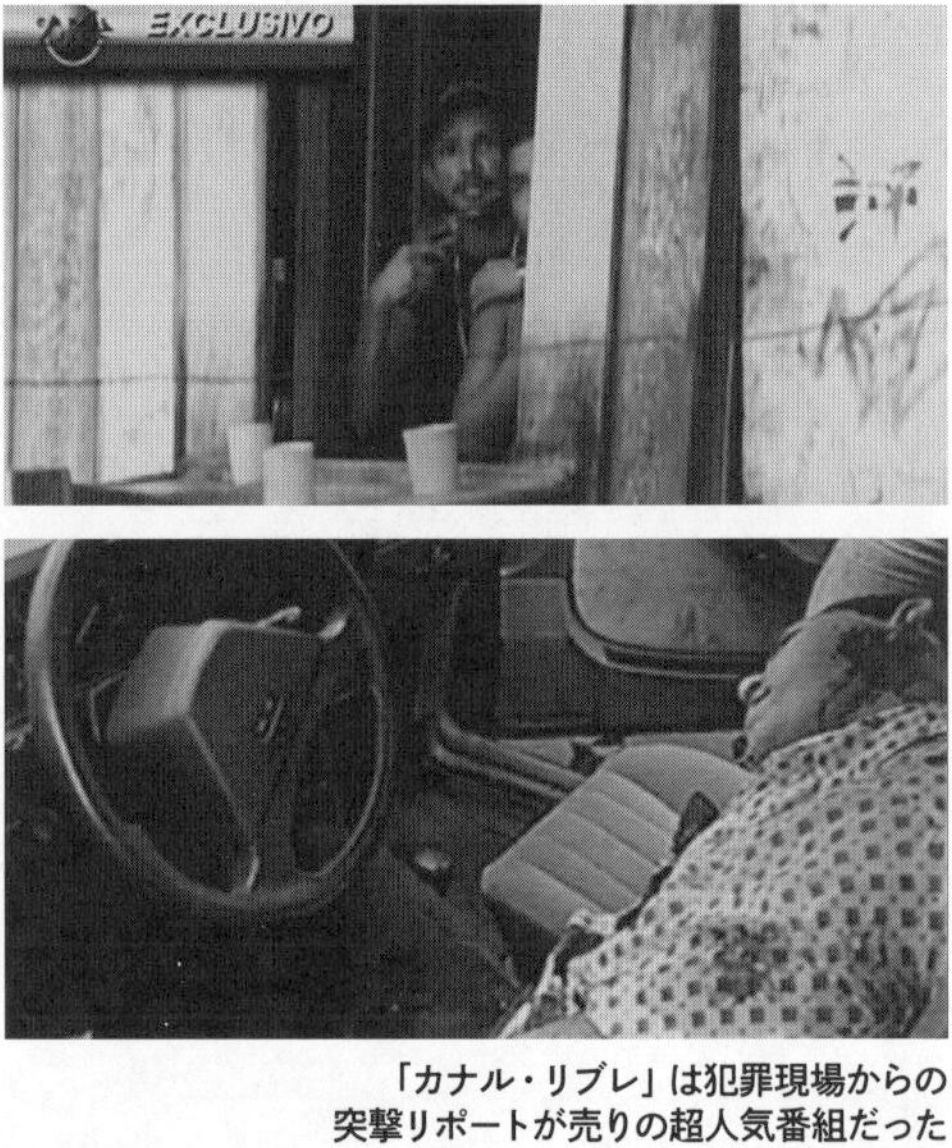

「カナル・リブレ」は犯罪現場からの
突撃リポートが売りの超人気番組だった

話が殺人指示であることは間違いなかった。

同月のアマゾナス州議会でソウザの議員資格剥奪が決定。いったんは逃亡を企てたソウザだったが、自ら警察に出頭して殺人、違法薬物の取引、証人買収、火器の不法携帯、犯罪組織の結成などの罪で逮捕される（息子や15人の麻薬密売人、番組の女性ディレクターなども同時に逮捕）。

当局の調べによると、ソウザは自ら麻薬の密売を行うマフィアを組織。敵対するマフィアの構成員を部下に殺害させ、それを番組でリポートしていたのだという。

ソウザの自宅から見つかった
大量の現金とライフル、銃弾

ソウザは、自分は一生をかけてマフィア組織と戦ってきた、これは政治的に敵対する者の陰謀だと主張、あくまで無実を訴えていたが、難病の門脈圧亢進症《もんみゃくあっこうしんしょう》を患い、公判中の２０１０年７月、サンパウロ市内の病院で死亡した。また、ソウザ逮捕のきっかけとなったダ・コスタは２０１７年、収監先のマナウスの刑務所で殺害されている。この事件は、ダ・コスタが殺害したマフィア構成員が所属する組織による復讐との見方が強い。

放送内容がでっち上げだと出演者がネットで告発
「ほこ×たて」偽造編集事件

２０１１年1月からフジテレビ系で始まった「ほこ×たて」は、矛と盾に関する故事『矛盾』にちなみ、相反する「絶対に○○なもの」同士を戦わせて白黒はっきりさせるバラエティ番組だ。「絶対に取れない服のシミvsどんなシミでも取ることができるシミ抜き職人」「絶対にトマトが食べられない人vsどんな人でも食べられるトマト」「どんなものでも破壊する鉄球vsどんなものでも破壊するカッター」などの対決が評判を呼び、２０１３年の元日には5時間半のスペシャル番組が放送されるほどの人気を博す。

問題が起きたのは２０１３年10月20日に放送された2時間スペシャルでの「スナイパー軍団vsラジコン軍団」の対決だ。番組に出演したラジコンカー世界選手権14連覇の実績を持つ広坂正美氏が、放送内容が実際の対決と大幅に異なり「偽造された編集内容があまりにもひどかった」と自身のＨＰで告発したのである。

対決内容はラジコンヘリ・ラジコンカー・ラジコンボートの操縦のプロが、それぞれ射撃のプロ3人と勝ち抜き戦を行うもので、広坂氏はラジコンカーを担当。放送ではラジコンヘリとラジコンカーが敗北したものの、ラジコンボートが3人の射撃を回避、ラジコン軍団の勝利となっていた。

ところが広坂氏によれば、実際はボートが3連勝したため、そこで勝敗が決着。これでは番組が成立しないので順番を入れ替えて放送したいというスタッフの要請を受け、ヘリとカーの撮影を行った。カー担当の広坂氏が戦った射撃側のプロは女性だった。が、放送では男性と戦ったかのように編集され、さらには事前ルールを無視した射撃によってラジコンカーが破壊されたため対決途中で撮影が中止されたにもかかわらず、スナイパー側が勝ったことにされていた。

広坂氏の告発を受けたフジテレビは、11月1日に番組の打ち切りを決定。記者会見で同局社長が、番組を盛り上げるため〝過度な演出〟を行ってしまったと謝罪したものの、一方でやらせには当たらないともコメントしている。

日本民間放送連盟賞テレビエンターテインメント部門最優秀賞やギャラクシー賞月間賞などを受賞する人気番組だったが、捏造発覚で打ち切りに

「日本のテレビが自分たちで作ったのではないか」

「イッテQ！」お祭り企画やらせスキャンダル

〝謎とき冒険バラエティー〟と題し、出演者が世界各国で体を張ったチャレンジを行う日本テレビ系列の「世界の果てまでイッテQ！」。日曜夜の国民的バラエティに「やらせ疑惑」が浮上したのは2018年11月。『週刊文春』（11月8日号）が、番組が始まった当初から月に1回のペースで放送されていた人気企画「世界で一番盛り上がるのは何祭り？」で取り上げられた祭りが、現地には実在しないと報じたのだ。

具体的に指摘されたのは、同年5月20日に放送された「橋祭りinラオス」で、内容は池の上に渡された25メートルの橋を自転車で走り抜け、速さを競うというもの。いつものように〝お祭り男〟の芸人・宮川大輔が青いハッピを着て祭りに参加し途中で失敗、派手に

問題となった「橋祭り」

池に落ちる姿が画面に映し出された。

ところが、『週刊文春』がラオス情報文化観光省に取材したところ、「こんな祭りはラオスに存在しない。日本のテレビが自分たちで作ったのではないか」というまさかの返答。さらに観光省の別の人物は「日本側の働きかけで実現した」として「2人の役人が撮影に立ち合いましたが（橋祭りは）ラオスで初めて行われたものです」と断言したそうだ。

また、ツイッターの情報では〝祭り〟は現地で人気のあるコーヒーフェスティバルの片隅で行われたもので、フェスの関係者は「日本側が障害物などを含めたセットを考え、タイの人間が手伝ったわけで、ラオスの人間はノータッチだ」と話したという。


これに対し日テレ側はあくまで「やらせ」を否定したが、報道後に「祭り企画」の休止が公式サイトで告げられ、オンエアリストからも関連項目が削除された。また、後の報道によると、番組でオンエアされた全116の祭りの中には「橋祭り」以外にも「タイの水瓶祭り」「アイルランドの農業5種祭り」『タイの田植え祭り』「イタリアの道路のソリ祭り」「タイのカリフラワー祭り」など、11の祭りの存在が確認できないらしい。

ラオスでの「橋祭り」をコーディネイトしたのはタイの会社だったが、11の未確認祭りのうち7つがタイの近郊なのは何か関連があるのか。実際、使用されている旗などの小道具が酷似している祭りが多数見つかっており、〝使い回し〟疑惑も囁かれている。

第5章

科学者はウソをつく

フェルトペンで白いマウスを黒く塗り皮膚移植実験成功を偽装

サマーリン事件

科学における不正行為の中で、実験データの捏造で一躍有名になったのが、1974年に発覚した「サマーリン事件」だ（ペインテッドマウス事件とも呼ばれる）。米ニューヨークのスローン・ケタリング記念がん研究所勤務のウィリアム・T・サマーリン博士（1938年生）は、免疫学を専攻、皮膚移植を研究していた。

通常、皮膚の移植は供与者と受容者が同じ個体なら可能だが、同じ動物種でも個体が違えば免疫系（体内で非自己物質やがん細胞などの異常な細胞を認識して殺滅すること）が作動、拒絶反応を起こして剥がれてしまう。

例えば人間、自分の皮膚を自分に移植しても拒絶反応はないが、他人の皮膚を移植するときには拒絶反応が出るため免疫抑制剤を使用することになる。しかし、免疫抑制剤は体ぜんぶの免疫作用を弱めてしまうので、感染症にかかりやすくなるデメリットがあった。

1968年、サマーリンはこの難問を克服する方法を発見したと発表する。移植する皮膚を数週間、特殊な液で培養すれば拒絶反応を起こさなくなるというのだ。特殊な液で培養することから、医学界ではサマーリンの「器官培養理論」、あるいは「サマーリン理論」

と呼ばれ、医療技術の大躍進として注目されることになる。

ところが、多くの研究者が追試（第三者が行う検証実験）に失敗したことで、サマーリンの指導教官で、世界初の骨髄移植を成功させた同研究所所長の免疫学者ロバート・A・グッドは、しだいにサマーリンの部下でさえ追試できない事実を公表するべきではないと考えるようになった。

疑いを持つグッドに改めて実験を求められたサマーリンは、実際に18匹のマウスを研究室から連れてきて、白いマウスに黒い皮膚が移植されていることを確認させる。が、マウスを研究室に戻した実験助手は、マウスの皮膚に黒いキズのようなものが付いていることに気づく。不思議に感じた助手がアルコール綿で拭くと、移植されたはずの黒い皮膚が消え、アルコール綿に黒いインクのようなものが付着した。

助手は事の重大さに震える。サマーリンが移植実験を捏造した可能性があったからだ。

ウィリアム・サマーリン本人。この事件以降、「マウスを塗る」という言葉が「研究詐欺」の意味で使われるようになったそうだ

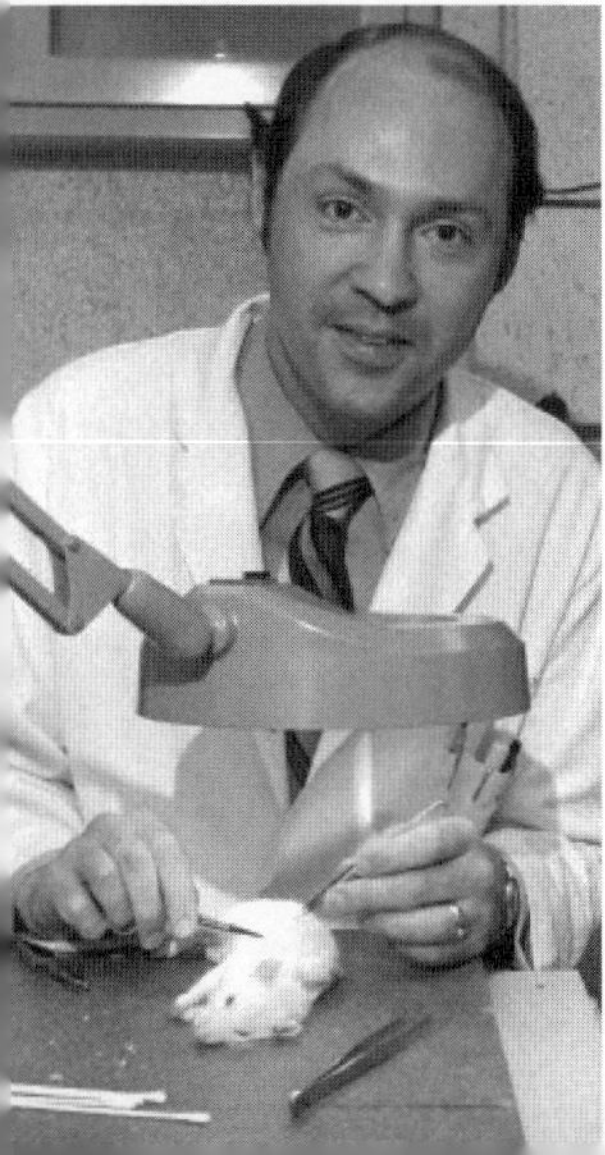

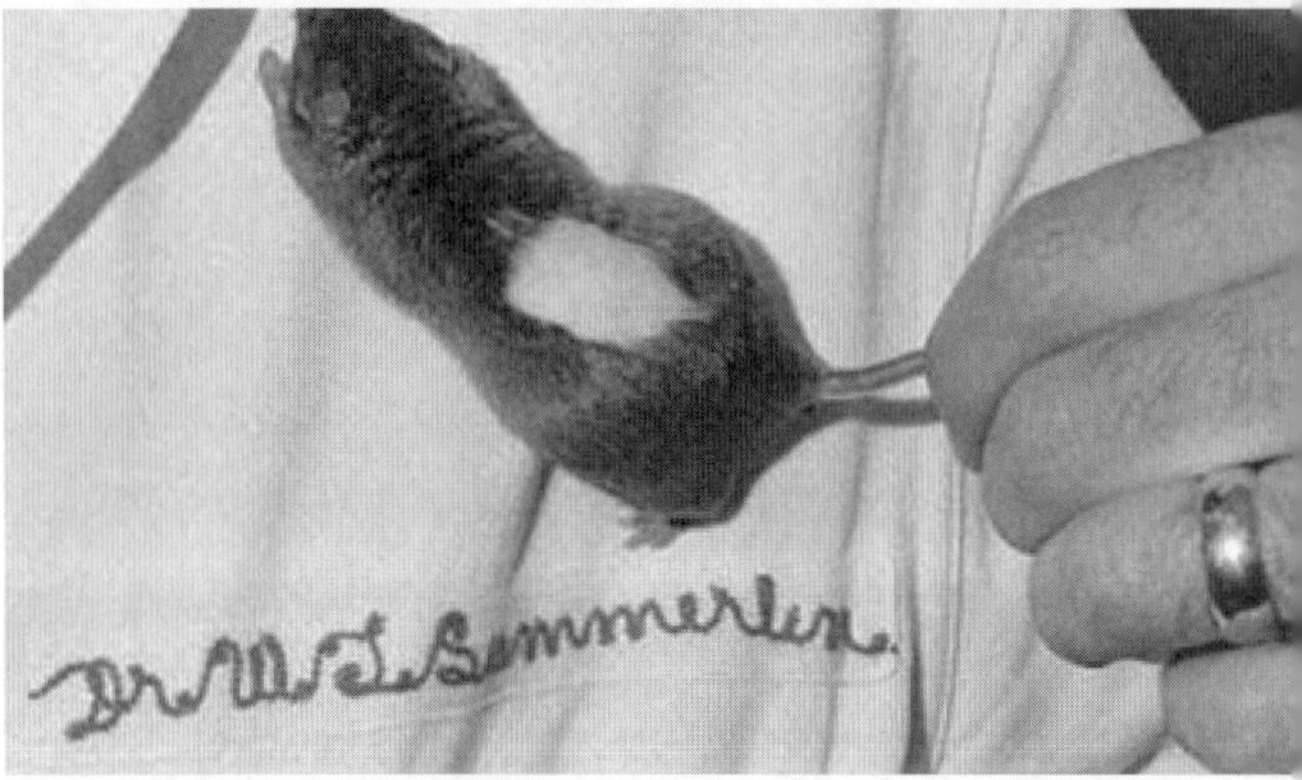

サマーリンが、白いマウスに移植するために皮膚の一部を剥がした黒いマウスの一匹

彼はすぐさま別の研究員に相談、やがてグッドに伝わったことで、サマーリンは自分の不正行為を認める。

サマーリンによれば、実験を終えたマウスを入れたケージを台車に乗せてグッドのオフィスに向かう途中、白いマウスの移植部分が、黒ではなく灰色に変色しているのに気づいた。そこで衝動的に白衣のポケットから黒のフェルトペンを取り出し、マウスの灰色部分を黒く塗ったのだという。どうして捏造を働いたのかという問いには、上司のグッドから研究成果を早く提出するよう求められ、強いプレッシャーを感じていたと釈明したそうだ。

グッドは、すぐさま委員会を設けサマーリンを調査、捏造の事実を把握する。研究所は事件を公表しなかったものの、どこからか話が漏洩。1974年4月、事の次第が『ニューヨーク・ポスト』紙の記事となり、世間は大騒ぎとなった。実はその年の1月、サマーリンは器官培養理論に基づき「ヒトの角膜→ウサギの眼」の移植に成功したと発表していたが、これもデータを捏造したものと判明したのである。

サマーリンは有給（年俸約400万円）の病気休職扱いになり、コネチカット州に妻と息子3人とともに移住。深く傷ついたとの理由で、メディアの取材には答えていない。が、メディアは、サマーリンが医師免許を取得後に勤務した研究所でも、「問題児で他のスタッフの邪魔だった」などという悪評や、他の論文にも捏造疑惑があると伝えている。

ちなみに、サマーリンの捏造に気づいた助手はその後、大学教授となったが、彼も20年後に研究データの改ざんが発覚し、糾弾されている。

現在はアーカンソー州で皮膚科を開業している

経歴から研究結果まで全てウソ
マーク・スペクター事件

米コーネル大学の大学院生だったマーク・スペクター（1955年生）は、1981年、がん発生のメカニズムについての世界的新発見を発表した人物だ。その後も彼は次から次へと成果を挙げていくが、実験データの不自然さと、他者による追試が成功しなかったことから捏造が発覚。論文が撤回されたばかりか、経歴を詐称していたことも判明し、退学処分となった。

コーネル大学の研究室に大学院1年生のスペクターがやってきたのは1980年1月のこと。それまで在籍していたオハイオ州シンシナティ大学で発表した論文が高く評価され、特別扱いでの入学だった。

彼はエフレイン・ラッカー教授の指導の下、天才的な活躍をする。ほとんど実験室の経験がなかったにもかかわらず、細胞とタンパク質の取り扱いと、その分析技術を瞬く間に取得。器用で段取りも良く、その手腕は神業に近かった。

同年2月19日、スペクターは生化学の一流雑誌『ジャーナル・オブ・バイオロジカル・

ケミストリー』編集部に1つの論文を届ける。がん細胞からATP分解酵素を精製し、さらに精製したATP分解酵素を試験管の中で人工的に作り出した擬似的な細胞膜に埋め戻す再構成実験にも成功したという画期的な内容だった。

　これはラッカー教授が唱えていた「リン酸化カスケード仮説」を証明する有力な結果で、教授はスペクターとともに科学雑誌『サイエンス』に寄稿。我々の実験の成果は、まさに特大なノーベル賞クラスだとスペクターを絶賛する。

　しかし、ラッカー教授と共同でがんウィルスを研究していたヴォルカー・ヴォークト助教授は疑問を持つ。スペクターの研究結果は華々しいが、ラッカーの研究室以外でスペクターの研究結果を追試できないのはなぜか。ヴォークト助教授は、実験に必要な抗血清と抗原をスペクターから直接提供を受け改めて検証を試みた。結果、突き止めたのは、スペクターが提出した試料容器の中身が2つとも、市販のタンパク質だったという事実だ。

　ヴォークト助教授は「こんなミスはありえない。意図的でしかない」と激怒したが、スペクターは「単にラベルを間違えただけ」と弁解する。しか

マーク・スペクター。
現在の消息はわかっていない

し、その後、同じミスがコロラド大学の研究室との実験試料の交換時にも発生する（研究者の世界では、論文発表した抗血清やタンパク質試料は、世界中の研究者から依頼があれば無償提供するのがルールになっている）。スペクターはこの際も、ラベルを間違えただけと言い張った。

捏造を確信したヴォークトはこの一件をラッカー教授に報告する。自分が惚れ込んだ天才児の研究結果を信じていたラッカーは衝撃を受け、2週間の猶予を与えるので実験を再現するようスペクターに要請する。結果は言わずもがな、スペクターはラッカー教授の要望に応えることはできなかった。

事実が公表され、スペクターの捏造は世界の生命科学界の大スキャンダルになった。当時、彼は『ニューヨーク・タイムズ』の記者の電話取材にこのように答えている。

エフレイン・ラッカー教授。スペクターが去った後も実験を再現しようとしたが1991年に脳梗塞で死去

「自分の発見が証明されるには、もっと研究が必要だけれども、全てが再現できると確信しています」

結局スペクターは論文を撤回し大学院をやめるが、その後、彼の実験ノートから市販のタンパク質の購入記録が発見される。最初から捏造を計画していた確たる証拠で、さらに、シンシナティ大学で発表した論文にも、データの捏造が見つかった。

スペクターのウソはそれで終わらず、通常、大学院への入学時に行われるべき経歴調査が実施されると、学歴を詐称していたことも判明する。スペクターが取得していると語っていたシンシナティ大学での修士号も学士号もなかったのだ。

驚くことに、その後もスペクターの人生はウソで塗り固められていく。1991年5月19日付のオハイオ州の朝刊紙『サンデイ・デモイン・レジスター』の記事によると、事件後、スペクターは生まれ故郷のオハイオ州に戻り、整骨医免許と医師免許を取得。心臓外科の有名な医師チームのアシスタントを務めていたという。が、彼はここで電子詐欺を働き、その捜査の過程で、彼の医師免許が偽造だったことが判明したという。マーク・スペクターの名は、今では生命科学史上最も悪質な存在として定着している。

スペクターのデータ捏造を暴いたヴォルカー・ヴォークト助教授

「黄金の手を持つ男」が犯した歴史的捏造 クローンマウス事件

1981年1月、衝撃のニュースが世界を駆け巡った。人類の歴史上初めて哺乳類のクローン「クローンマウス」が誕生したというのだ。クローンとは、ギリシャ語で小枝の集まりを意味し、生物学の世界では同じ遺伝情報を持った個体を指す。

発表したのはドイツ人の発生生物学者カール・イルメンゼー（1939年生）。ミュンヘン大学で生物学を専攻。1970年代にクローン研究が盛んだったアメリカに渡り、1976年にショウジョウバエの卵の核と細胞質の移植実験に成功して、「黄金の手を持つ男」と呼ばれた人物だ。

ショウジョウバエの実験で名を揚げたイルメンゼーが次に挑戦したのが、ハツカネズミのクローン作製だった。彼は当時、科学者の間に普及し始めたマイクロ・マニピュレーター（顕微鏡を覗きながら細かい作業を行うための装置）を使って363個の受精卵に核移植を行い、142個が成功。そのうち分裂がうまく進んだ16個を代理母のマウスに移植し、2週間後、世界で初めての哺乳類のクローン「クローンマウス」3匹を誕生させる。世界中の科学者の誰もが驚愕する実験成功だった。

　この一件でイルメンゼーはスイスの名門ジュネーブ大学の教授に就任し、科学界の大スターとなる。が、1983年、事件が起こる。イルメンゼーが研究成果を発表していたところ部下が突然立ち上がり、「我々イルメンゼー研究室のメンバーは彼の研究結果を認めない」と宣言したのだ。研究室のスタッフは、イルメンゼーが夜1人で実験を行い誰にも見せないことに加え、実験器具が故障していたり、使われた形跡もないのに実験したと主張することに大きな不信感を抱き、さらに他の実験者による再現実験が一度として成功しない事実に、告発に踏み切ったという。

　事態を重くみたジュネーブ大学は調査委員会を設立。イルメンゼーの実験を検証した結果、1984年1月、「捏造とは断定できないものの、イルメンゼーの実験記録には許容しがたい大量の訂正、誤り、矛盾がある。一連の実験は科学的に価値がない」と結論づける。イルメンゼーは翌1985年6月、追われるように大学を辞職した。

カール・イルメンゼー。
事件後、複数の大学で教鞭を執り、
2017年、78歳で現役を引退した

「ワクチン接種で自閉症になる」と主張し、麻疹を意図的に再流行

ウェイクフィールド事件

子供への予防接種が自閉症の症状を引き起こす――。1998年2月、オランダの有名医学誌『ランセット』に驚きの研究リポートが掲載された。

論文を執筆したのは、イギリスの医師で生物医学研究者のアンドリュー・ジェレミー・ウェイクフィールド（1957年生）を主要執筆者とする13人の研究者で、その内容は、麻疹《はしか》とおたふくかぜ、風疹を予防する新三種混合ワクチン（MMRワクチン）の接種を受けた子供が数日以内に、新しい病気「自閉症的腸炎」を起こす可能性があるというものだった。

ウェイクフィールドによれば、12人の子供を被験者に実験を行ったところ、そのうち9人がワクチン接種後1～14日以内に自閉症の症状が見られたという。この結果から彼は、麻疹の予防に関係するワクチンによって腸に炎症が発生、そこから有害たんぱく質が血中を通って脳に流れ込み、神経細胞に損傷を与え自閉症を引き起こすのだと主張した。

6年後の2004年、『ランセット』誌は、重大な利益相反があったとしてウェイクフィールドの論文の一部を撤回する。同誌によれば、被験者のうち数人がワクチン製造メーカーを相手取った裁判の担当弁護士の依頼人の子供で、裁判絡みの研究に資金援助をする公的機関、つまりMMRワクチンに反対する組織から5万5千ポンド（約770万円）を受け取っていたことが発覚。さらにウェイクフィールド自身がベンチャー会社を設立しようとしていたことも判明したのだという。

実は、彼の論文は発表直後から否定的な意見が多く、世界各国の公的機関や大学、研究者により論文内容が実証できないことが指摘されていた。2010年1月には、イギリスの医事委員会が新三種混合ワクチンと自閉症の関連性を正式に否定。これを受け『ランセット』誌も論文を全面撤回。ウェイクフィールドは医師免許を剥奪されることになる。

しかし、時すでに遅し、だった。ウェイクフィールドは論文の発表に際し、大々的な記者会見を開き、ビデオクリップまで使い「ワクチン投与の中止」を呼びかけていた。

麻疹を再流行させた張本人
アンドリュー・ウェイクフィールド元医師

捏造したデータを用いて持論を宣伝するためだ。ちなみに以降、自分の論文を題材に大々的記者会見を行うことを、「記者会見によるサイエンス」と呼ぶようになる。これは、研究の目的が科学的な進歩を図ることではなく、有名雑誌に自分の信条を載せ虚偽を真実としてでっち上げるというものだ。

果たしてメディアはまんまと騙され、プレス発表をそのまま報道。ウェイクフィールドはワクチン接種を嫌う人々から英雄的な存在として崇められ、その後、世界中でワクチン接種率の低下と、それに伴う麻疹の大流行という人為的災害を生み出すことになる。

イギリスをはじめ、アメリカ、カナダ、オーストラリア、ニュージーランドでは子供にワクチンを接種させない親が相次いだ。現在でも接種率は完全には回復しておらず、麻疹にかかる子供が増加の一途をたどっている。２０１８年に世界保健機関へ報告された麻疹の患者数は、前年の約17万人から約22万9千人に。暫定統計によると、麻疹での死者数は

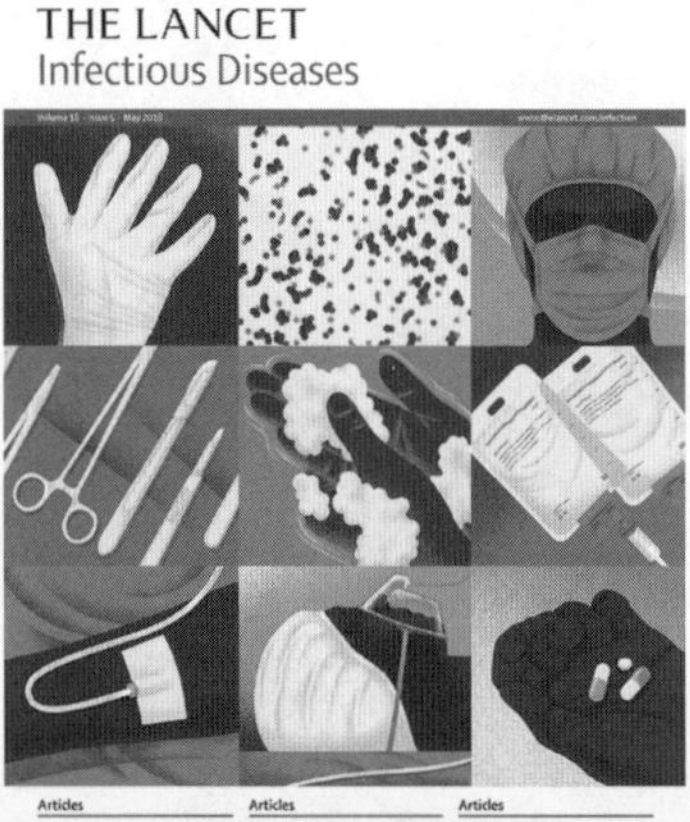

世界の医学界に大きな影響力を持つ週刊誌『ランセット』。同誌は2010年、ウェイクフィールドの論文を全面撤回したが…

約13万6千人に上るという。

中でもイタリアは深刻で、２０１８年6月に誕生した連立政権は、ワクチン接種の義務を廃止する法案を通してしまった。反ワクチン論者の主張をなぞった非科学的な妄言を鵜呑みにし、強制的なワクチン接種は無意味で子供同士で感染させ合った方が〝自然な〟免疫がつくと、国民の多くが信じ込んでしまったのである。

ちなみに、トランプ前米大統領は２０１６年の選挙中から反ワクチン運動と共闘。自身のツイッターでたびたび「子供たちが大量のワクチンを打たれて自閉症になっている」と訴えている。２０００年に麻疹排除を達成していたはずのアメリカで、２０１８年に未接種者による発症例が相次いだのも、トランプの意見が作用したと言えなくもないだろう。

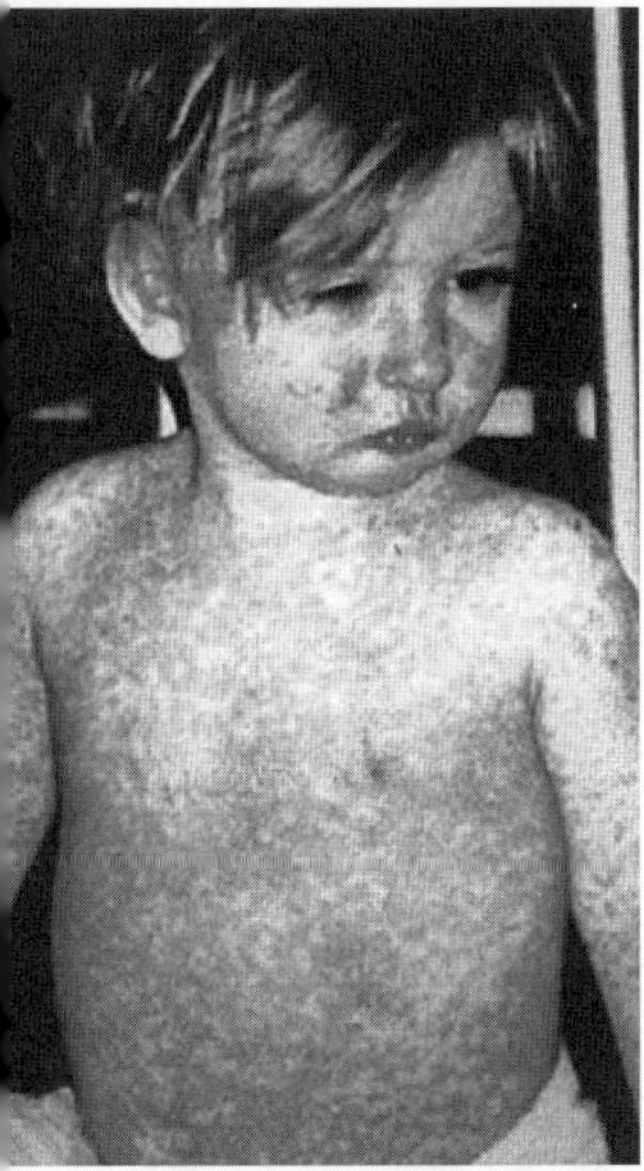

ワクチン接種の中止が呼びかけられたことで欧米で麻疹にかかる子供が激増

自分の名を売るため意図的に麻疹を再流行させた大事件。現在、医学界では、ウェイクフィールドの捏造を刑事事件にすべきという意見が高まっているという。

データの捏造・改ざんで収監された、肥満と老化研究の第一人者

ポールマン事件

エリック・ポールマン。不正研究で収監された最初のアメリカ人研究者となった

アメリカのバーモント大学医学部の教授で、生物医学研究者のエリック・ポールマン（1956年生）は、人間の肥満と老化の内分泌学に関する研究で200以上の論文を発表、特に閉経に伴う物質代謝とホルモンの関係についての研究業績で、この分野の権威とされた人物だ。

一般に、人はエネルギー調節に関して、蓄積するエネルギーと消費するエネルギーの間にインバランス（需要と供給の差）が存在する。ポールマンは、このインバランスは加齢とともに大きくなり、特に女性の閉経で増大すると唱えた。インバランスが大きくなると筋肉量が減り体脂肪が増えるため老人は肥満になりやすく、心疾患を患いやすくなる。そこで物質代謝を促進するホルモンを投与すれば、インバランスが小さくなり肥満が減少、心疾患も減少するというのだ。

ポールマンの仮説は広く受け入れられ、多くの人が認めているホルモン補充療法にひと

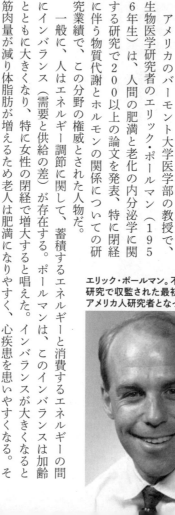

つの基盤を与えた。

ところが2000年10月、事件が起こる。ポールマンに実験データを論文にまとめるよう命じられた研究室の助手ウォルター・デニーノ（当時22歳）が患者の脂質データの統計解析を行ったところ、その結果がポールマンの仮説に合わない。報告を受けたポールマンは「間違いがあったので修正した。このデータで解析し直してほしい」と改めて依頼。デニーノが再度データを分析すると、今度は仮説どおりの数値になっていたという。

不思議に感じたデニーノは、元のデータと改訂されたデータを比較する。結果、修正された数値はポールマンの仮説に合わないものだけで、仮説に合致する数値は一切変更されていなかったことが判明した。

デニーノは、ポールマンの不正研究を疑い大学に告発。これを受け調査委員会を設置した大学は2001年、ポールマンが不正にデータを捏造・改ざんしていたことは明白と結論づける。

2005年、17の研究費申請書と10の論文に不正行為があったことを認めたポールマンに対し、バーモント地方裁判所は刑期1年1日の連邦政府刑務所収監の刑罰を決定。また、54万2千ドル（約5千900万円）の研究費詐欺に対する民事訴訟では、バーモント大学に18万ドル（約2千万円）、デニーノに1万6千ドル（約200万円）を支払う命令を下した。

ノーベル賞に最も近かった物理学者が犯した不正行為
ベル研シェーン事件

通信研究所として世界的に有名なアメリカの「ベル研究所」（通称ベル研）にドイツ人の物理学者ヤン・ヘンドリック・シェーンが雇用されたのは1997年、彼が27歳のときだ。シェーンはベル研で物理学とナノテクノロジーを中心に研究。2000年から翌年にかけ、フラーレン（中が空洞の球、楕円体、チューブなどの形状をした炭素の同位体）を用いた高温超伝導（比較的高い温度で電気抵抗がゼロになる現象）の研究で成果を挙げ、その画期的な結果を国際的科学雑誌『ネイチャー』や『サイエンス』などに発表する。驚くべきはその量産ぶりで、2001年だけでシェーンが著者として名前を連ねた論文は8日に1本のペースだったという。

しかも、彼の研究結果が真実なら、人類がシリコンをベースとした無機エレクトロニクスから離脱し、有機半導体をベースとする有機エレクトロニクスに向かう大転機となりうる画期的な内容で、電子工学のコストを劇的に下げることになるとも評価された。

学会でシェーンは傑出した科学者だと見なされるようになり、2001年にオットー・クルン・ウェーバーバンク賞、ブラウンシュヴァイク賞、2002年には「傑出した若手研究者のための材料科学技術学会賞」を受賞、やがて超電導の分野でノーベル賞に最も近い人物と目されるまでになった。

ベル研にはシェーンの華々しい活躍に違和感を覚えた者もおり、実験機器類や実験サンプルを見せてほしいと申し出た。が、シェーンは当時、母校のドイツ・コンスタンツ大学にも研究室を持っており、重要な実験は全てそこで行っているので見せることは不可能と主張。同僚たちもそれ以上の追及はできなかった。

しかし、やがてカリフォルニア大学やコーネル大学の教授らが、シェーンの発表した論文に、一般的な物理学上の常識から導きだすことのできないデータを発見したことで事が動き出す。指摘を受けた『ネイチャー』の編集者たちが問題をシェーンに問いただすと、彼はデータの取り違えによるミスだったと釈明するも、追跡調査によってシェーンが書いた多くの論文で同じデータが重複して使われていることが発覚したのである。

ヘンドリック・シェーン。事件後、ドイツに戻り、故郷の中小企業に勤務しているという

事態を重くみたベル研が2002年5月、シェーンに関する不正調査委員会を立ち上げたところ、1ヶ月で24件の告発が集まった。委員会は共同研究者全員に聞き取り調査を行い、加工された数値データを含む論文原稿を調査。同時にシェーン本人に生データの記録を要求したが、研究所の実験ノートには記載がなく、彼のコンピュータからも消去されていた。その理由についてシェーンは、ハードディスクの容量が限界にきていたため削除したと釈明。実験サンプルも全て捨てたか、修復不可能までに破損してしまったと言い訳を繰り返すだけだった。

2002年9月、調査委員会は、24の不正行為に関する申し立てのうち、少なくとも16件についてシェーンによる不正行為の証拠が発見されたことを公表。実験データからプロットされたはずの複数のグラフが、実は数学曲線によって合成されていたこと

事件の舞台となったベル研究所。電話を発明したグラハム・ベルが1880年に設立した研究所が母体で、現在はノキアの子会社

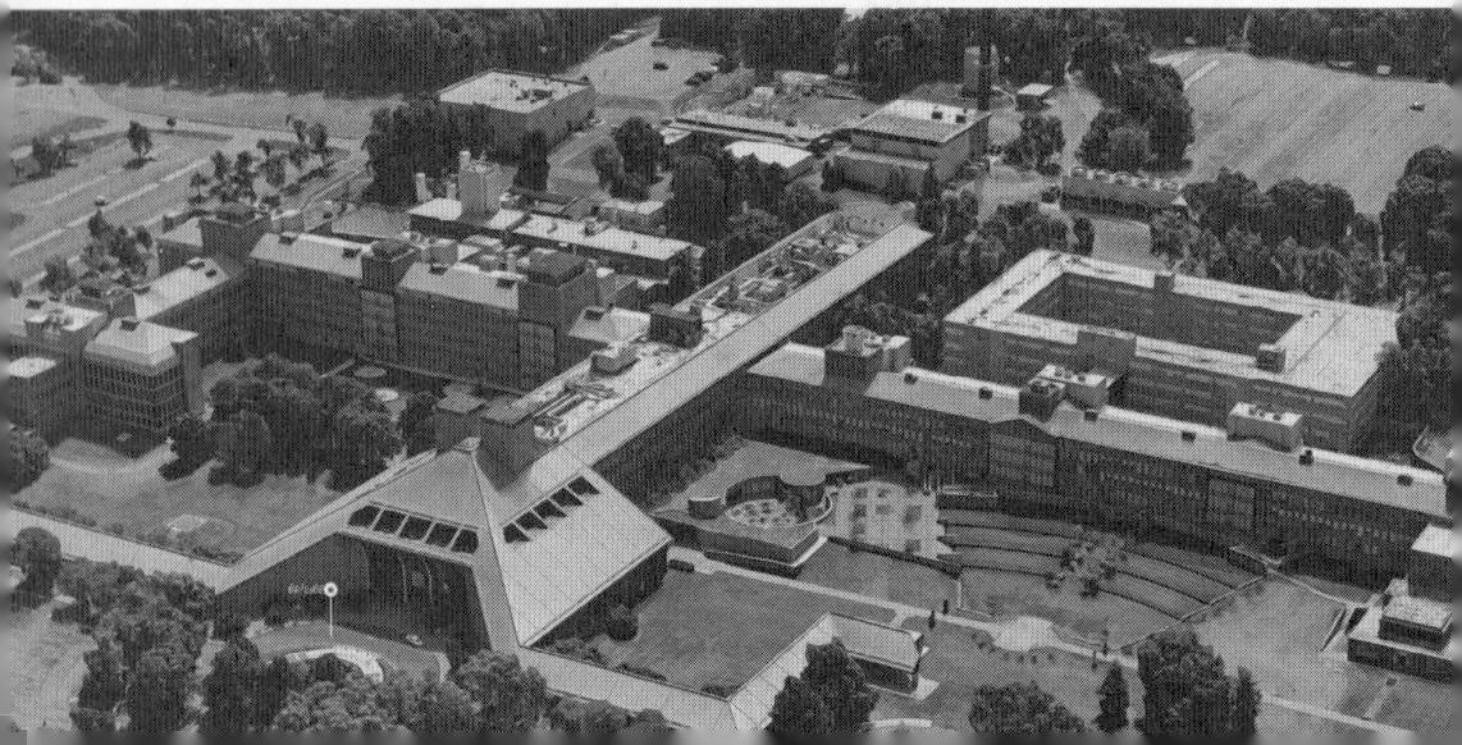

を明らかにした。

それでもシェーンは一部データの捏造を認めたものの実験自体は成功であり、成果に関して納得のいく証拠を見せることができると主張。しかし、すでに他の研究者が追試を行い同じ結果を得られなかったことから、シェーンの話に聞く耳を持つ者はいなかった。

ベル研はシェーンを解雇、さらにドイツのコンスタンツ大学もシェーンの捏造を「恥ずべき行為」として、彼から博士の学位を剥奪することを発表した。対し、シェーンは学生時代の研究がその後のベル研究所でのスキャンダルにつながったという証拠はないとして告訴。その後、数年に及んだ法廷論争は、２０１３年7月、ドイツ連邦行政裁判所が大学側の学位剥奪を支持したことで決着する。

　この事件では、シェーンの共同研究者や共著者も不正行為に関わっていたものと非難が寄せられた。シェーンを信じ切って実験データを検証しなかったことへの責任である。が、調査委員会はシェーン以外に処分を下すことはなく、この決定は現在も問題視されている。

ベル研のエースとして活躍していた頃のシェーン（左）

政府と国民が祭り上げた韓国の黒い英雄

ES細胞論文不正事件

黄禹錫《ファンウソク》（1953年生）は自然科学の分野でノーベル賞受賞者が出ていない韓国において、その最短距離にいると言われた元ソウル大学獣医科の教授である。

黄は1993年に韓国初の牛の人工授精に成功、1999年に牛のクローンを誕生させ、2003年には牛海綿状脳症に耐性を持った牛、さらに人間に臓器を提供できる無菌処理をした豚を誕生させたと報じられ、生物学研究者として確固たる地位を築いていく。

黄は2004年2月、科学雑誌『サイエンス』に、世界で初めてヒトクローン胚からES（胚性幹）細胞を作製したと発表。翌2005年5月には、同誌に患者の皮膚組織から得た細胞をクローニング（同じ遺伝子型を持つ生物の集団を作製すること）して、そこから患者ごとに合致するES細胞11個を作製したとする論文を発表し、世界を驚愕させる。

ES細胞は臓器や組織に分化する能力があるとされ、臓器の修復など再生医療での実用化を目的に、それまで世界中の科学者が研究を続けていた。が、人間はおろか、サルなどの霊長類においてもES細胞作製の成功例は皆無。そんななかで発表された黄の研究成果は、脊椎損傷や様々な病気を抱える世界中の患者に希望の光を与えた。

２００４年の論文発表以降、韓国社会は沸き立った。韓国が生化学研究・再生医学の世界的中心になることや、経済効果への期待が膨らみ、研究チームに国民の支持や政府・企業からの支援が殺到。韓国科学技術部は黄を「最高科学者」の第１号に認定し記念切手を発行、民間人として初めて要人級警護対象となり、その業績を讃えた５メートル超の巨大石像まで建てられた。

さらに、研究に使われた卵子入手の倫理問題を指摘した韓国文化放送の報道調査番組に対し、視聴者がスポンサーへの不買運動を展開。結果、番組からスポンサーが降りて放送休止に追い込まれただけでなく、局へのデモまで起こり、黄に対する批判は許さないという風潮が作り上げられる。

当時韓国では、黄が「韓国人の卓越した箸を使う技術がＥＳ細胞の抽出を可能にした」と自信満々に語りながら箸でＥＳ細胞を抽出するシーンが繰り返し放送されていたそうだ。

2004年と2005年、人間のES細胞作製に世界で初めて成功したとする論文を米科学誌『サイエンス』に発表し、一躍時の人となった黄禹錫（当時ソウル大学獣医科教授）

事態が急変するのは２００５年11月のことだ。同年5月に発表した論文の共同執筆者の一人である米ピッツバーグ大学のジェラルド・シャッテン教授が、黄が実験に必要な卵子を不妊治療施設を通じて違法に入手しているとメディアに公表したのが発端となり、同論文に添付された培養細胞の写真が2個を11個に水増しした虚偽のものだったことが発覚。12月には、黄に卵子を提供していた病院の理事長が、疑惑を追っていた韓国文化放送のインタビューで「黄教授は論文の内容が虚偽だったことを認めた」事実を明らかにしたのだ。一連のスキャンダルに対し、ソウル大学は第三者調査委員会を設置し、問題を精査する。結果、黄らの研究チームが実験写真を捏造していたこと、そもそも「クローンＥＳ細胞」として紹介されていたものが通常のＥＳ細胞だったこと、論文に掲載された実験結果の数値自体が改ざんされていたことなどが正式に発表された。

これを受け、ソウル大学は黄を免職処分とし、『サイエンス』誌も彼の論文を全面撤回する。が、驚くのはこの後だ。捏造が明らかになっても黄を信奉する約2千人が彼の処分を抗議するキャンドル集会を行い、私設ファンクラブ会員約5千人が擁護デモ集会を開催。中には抗議のため焼身自殺する男性まで現れたというから異常としか言いようがない。なんでも黄が「貧乏な家に生まれ、親孝行をしつつ苦学して大成する」という朝鮮民族の英雄像にピタリと当てはまっていたため、民衆の熱狂的な支持を得て、それが止むことがなかったようだ。

　こうした騒ぎのなか、黄は精神的ストレスを理由に入院していたが、２００６年５月、韓国検察当局が黄を業務上横領、生命倫理法違反の罪で在宅起訴。３年後の２００９年10月、ソウル中央地方裁判所は黄に懲役２年・執行猶予３年の有罪判決を言い渡す。裁判では、黄は研究助成金など８億３千５００万ウォン（約６千５００万円）を騙し取ったと認定されたが、彼が科学の発展に貢献したことなどを考慮し、執行猶予付きの判決になったという。

　一連の事件を受け表舞台や学会から追放された黄は現在、熱烈な支持者の支援のもと、元々の専門分野である牛や犬などの動物のクローンの研究者として研究を続けていると伝えられている。

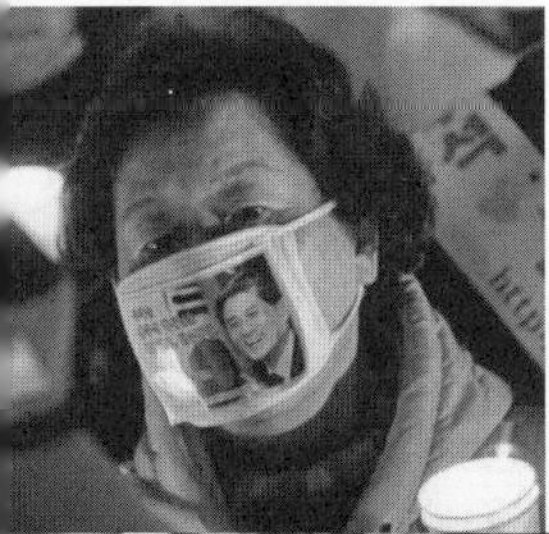

捏造発覚後の2006年1月、ソウル市内で行われた黄の処分に抗議するキャンドル集会。5千人以上が集まり、黄の研究チームの研究再開を訴えた

STAP細胞事件

〝リケジョの星〟が発表した世紀のニセ論文

2014年1月、独立行政法人理化学研究所（以下。理研）の研究員らが、マウス実験で世界初の万能細胞「STAP細胞」（刺激惹起性多能性獲得細胞）の作製に成功したとの論文を英科学誌『ネイチャー』に発表。チームリーダーだった小保方晴子《おぼかたはるこ》氏（1983年生）が、一夜にして〝リケジョ（＝理系女子）の星〟ともてはやされ、世間から注目を浴びた。

そもそも、STAP細胞とは何か。我々の体を形作る全ての体細胞は、受精卵というたった一つの細胞からできており、これを「万能細胞」と呼ぶ。目や歯やどんな臓器にもなれるからだ。ただし、いったん目や歯になってしまえば万能細胞に戻ることはできない。

2006年、山中伸弥氏率いる京都大学の研究グループによって、体細胞に4種類のタンパク質を注入することで万能な細胞を作る方法が発見された。いわゆる「iPS細胞」だ。しかし、この細胞には作製に使うタンパク質の一つに発がんの危険性があった。iPS細胞が再生医療に利用できたとしても、患者ががんに罹患してしまえば元も子もない。

この問題を払拭したのがSTAP細胞だった。タンパク質を注入せず、簡単な刺激を加えることで万能細胞が作れるというのだから、まさにノーベル賞級の発見である。

ところが、すぐにネット上で研究不正の疑義が指摘され始める。最初は、論文に添付された画像が切り貼りされたのではないかとの疑問が投げかけられた（後に小保方氏が実際に切り貼り加工を行ったと認めている）。さらに、ツイッターやブログで、STAP細胞の胎盤画像と、再生された胎盤画像が酷似している点や、小保方氏が母校の早稲田大学で書いた博士論文の一部テキストや画像に他の研究者の論文と「酷似した内容」が見受けられるとの指摘が相次ぐ。

理研や『ネイチャー』は、2月に本格的に調査を開始。3月には早稲田大学も博士論文について調査委員会を立ち上げた。

博士論文の不正問題に関しては、小保方氏は「取り違いによって作成初期段階の草稿が製本され、それが博士論文として大学に提出された」と弁明したが、委員会は「著作

2014年4月8日、大阪市内のホテルで捏造疑惑に対する釈明会見に臨む小保方晴子氏。このとき発した「STAP細胞はあります」は2014年の流行語大賞にノミネートされた

権侵害行為、創作者誤認惹起行為、意味不明な記載、論旨が不明瞭な記載など多くの問題箇所が認められた」と報告。これを受けた早稲田大学は、米国立衛生研究所のサイトからのコピーや画像の流用など26ヶ所の問題点があり、そのうち6カ所は「故意による不正」とし、論文の再提出を求めたが猶予期間内に提出されなかったため、小保方氏に授与した博士号を取り消した（2015年11月確定）。

STAP細胞問題については、2014年4月1日に理研が行った最終報告で、論文中の画像・グラフの2項目で捏造や改ざんが認定された。遺伝子解析の画像の切り貼りと、STAP細胞の万能性を示す画像が小保方氏の別の論文で使われた画像と酷似していた点だ。

1週間後、小保方氏自身が記者会見を行い、一連の騒動を謝罪しつつ「STAP細胞はあります」「200回以上、作製に成功しています」と反論したものの、その後、理研はさらに6件の疑義を公表。その一つが実験の核となるSTAP

2014年3月、STAP細胞の作製法を公開する小保方晴子氏（左）と、共同研究者の笹井芳樹氏（中央。2014年8月自殺）、若山照彦氏

細胞を使って作製したマウスとES細胞のマウスの比較写真で、実際は同じマウスの写真を使っていたことが判明したという。これを受け、『ネイチャー』は正式にSTAP論文の撤回を発表した。

この騒動で、小保方氏の上司にあたる笹井芳樹氏が自殺（8月5日）。小保方氏自身も12月末に理研を退職する。その後、同氏も参加した検証実験でSTAP細胞を再現できなかったことを公表。さらに2015年になってハーバード大学のグループが133回の再現実験でも再現できなかったとするリポートと、理研の「STAP細胞はES細胞由来だった」という試料解析結果から、『ネイチャー』は最終的にSTAP現象が本当ではないと結論づけている。

2016年1月、小保方氏は手記『あの日』（講談社）を出版。一連の騒動の渦中となった自らと、自分に対する人権侵害とともに重大な放送倫理違反を指摘されたメディアの報道姿勢について語り、大きな反響を呼んだ。

2-1：Fig. 1b と Fig. 2g の画像の酷似

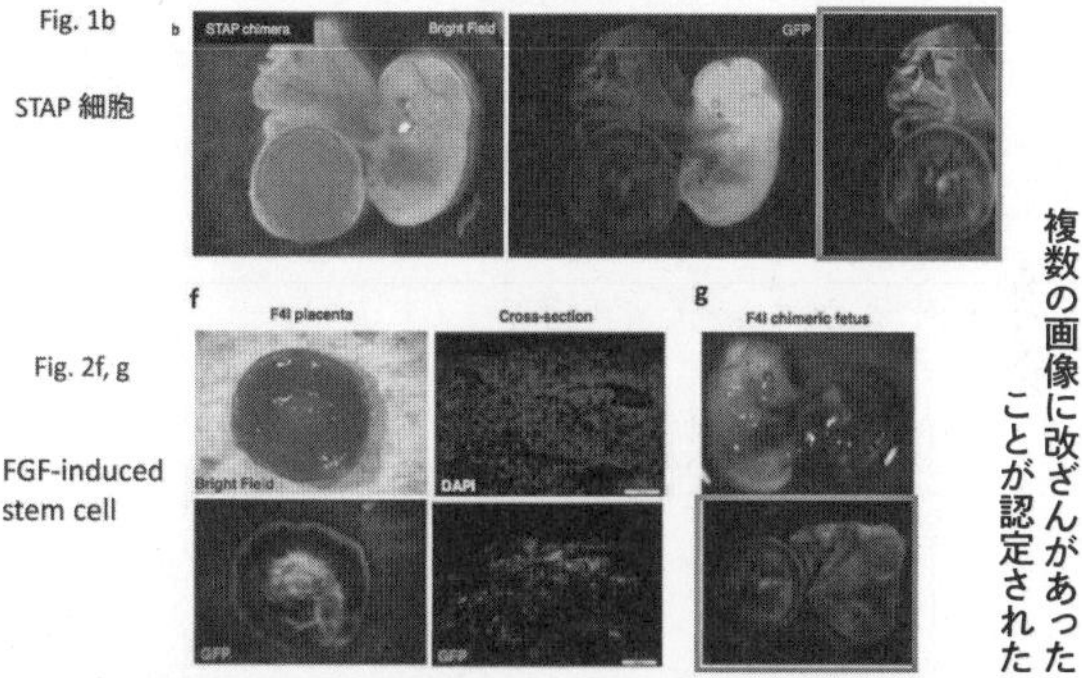

複数の画像に改ざんがあった
ことが認定された

ネット上で医療系論文約80本の改ざん・捏造を告発

「匿名A」による論文大量不正疑義事件

生命科学の分野では、2000年頃から毎年のように研究不正が報告されているが、インターネットの匿名書き込みが事件の発覚に関与したケースが少なくない。

例えば、2011年の年末から2012年の初めにかけ、匿名掲示板「2ちゃんねる」の生物板では、東京大学分子細胞生物学研究所教授の研究室から捏造が疑われる不自然な酷似画像を含む論文が20本以上あるとの書き込みがなされた。これをネットの世界で「捏造ハンター」と呼ばれる匿名の人物が日本分子生物学会に告発したことで、該当教授が引責辞職、学会理事が謝罪する事態に発展している。さらに2014年のSTAP細胞事件でも「捏造ハンター」の指摘により研究不正が発覚した経緯があった。

こうしたネットでの不正告発の代表例が2014年末から2015年初頭、「匿名A」のハンドルネームを名乗る人物によって指摘された論文大量不正疑義事件だ。これは日本分子生物学会年会のために開設されたウェブサイト「日本の科学を考える」の「捏造問題にもっと怒りを」というトピックのコメント欄に書き込まれたもので、内容は1996年〜2008年にかけて『ネイチャー』などの科学誌に発表された約80本の医学系の論文に不正な人為的加工や流用などが疑われる画像データが掲載されているというものだった。

2015年1月13日、当時の文部科学大臣下村博文は、1週間前に同様の趣旨を記した匿名告発が文科省に文書で届いていることを公表。これを受け、全国の大学で内部調査が実施される。結果、最も多い27本の疑義が指摘された大阪大学は、1本については疑義を否定し、7本については不注意による誤使用と判断。残り19本についてはデータが残っていないため不正の事実確認ができないとして調査を断念した。また、12本が指摘された東京大学は調査の結果、全ての論文について不

「匿名A」を名乗る投稿者から27本もの不正を指摘された大阪大学。同大の大学院では2006年、生命機能研究科の研究チームが専門誌に発表した論文に不正の疑いがあると指摘した研究家の助手が、後に服毒自殺を図るという事件が起きている

正行為が存在する疑いはないと発表。金沢大学は論文1本を2015年9月4日に撤回した。

その他、九州大、札幌医科大、東北大、京都大、慶応大など一部調査内容を公表した学校もあるが、いずれの大学も不正はなかったと疑義を否定した。が、2019年5月現在、「匿名A」による研究不正報告は大量不正疑義事件のものを含め113本が指摘されており、その中には日本人のノーベル医学・生理学賞受賞者が3人含まれているそうだ。

第6章 伝説の作り話

ピルトダウン人骨捏造事件

「最古の人類発見」は世紀のいかさまだった

19世紀半ばから20世紀初頭にかけ、世界中で、人類の進化の過程解明の手がかりとなる人骨の発見が相次いだ。１８５６年にドイツでネアンデルタール人の化石人骨が、１８９１年にはインドネシアのジャワ原人、１９０８年にはフランスのリムーザン地方でネアンデルタール人類に属するラ・シャペル＝オ＝サン人の骨が発掘された。

そんな背景下の１９０９年〜１９１１年、イギリスの旧サセックス県ピルトダウンで、アマチュア考古学者で弁護士でもあったチャールズ・ドーソンと協力者たちが奇妙な頭骨破片を発見した。それは大きな脳と類人猿的な下顎骨《かがくこつ》を持つ化石人骨であったため、最古の人類という意味を込めて「エオアントロプス・ドーソニ」と名づけられる。人類学、地質学、先史学の諸権威が太鼓判を押し、科学界や社会から大きな支持を受けた。

しかし、この発見は第二次世界大戦後、捏造であることが発覚する。１９４９年、ロンドン自然史博物館の人類学者ケネス・オークリーがピルトダウン人頭骨の年代測定を、１９５３年にオックスフォード大学の研究者らがより精密な年代測定と調査・分析を重ねた結果、骨が現生人類と現生オランウータンの頭骨の組合せであることが判明したのだ。

捏造犯は第一発見者のドーソンと見るのが自然だろう。当初から彼には、自宅で骨を造っているのを見たという噂がまことしやかに流れており、ロンドン自然史博物館も2016年、贋作はドーソンの仕業によるものと断定している。

一方、イギリスの科学雑誌『ネイチャー』は、事件の真犯人は、人骨発見当時、ロンドン自然史博物館に学芸員として勤めていたマーティン・ヒントンなる動物学者だと主張する。同誌1996年5月23日号に掲載された記事によれば、同博物館の屋根裏からヒントンの旅行鞄が見つかり、その中からピルトダウン人の加工と同じような処理が施されたゾウ、カバの化石が発見されたのだという。また、ヒントンは化石の変色についての論文を発表しており、これもまたピルトダウン人の人骨の染色と似たような方法が施されていたそうだ。真相は藪の中だ。

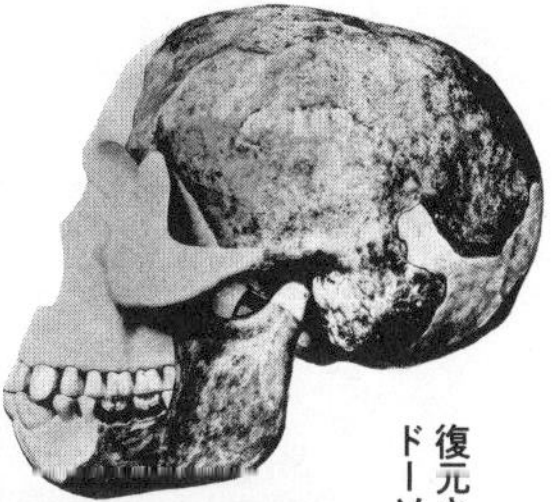

復元されたピルトダウン人頭骨（上）と、骨を発見したチャールズ・ドーソン（下）。発見から数年後の1916年に死去

ツタンカーメンの墓を発見した22人が怪死

マスコミがでっち上げた「ファラオの呪い」

「ファラオの呪い」とは、紀元前1300年代前半に在位したエジプト第18王朝の若き王（ファラオ）・ツタンカーメンの墳墓を発掘する者には呪いがかかるという伝承である。

そもそもの発端は、1922年11月4日、イギリス人の考古学者ハワード・カーターと、彼のスポンサーである大富豪のカーナヴォン卿が王家の谷に足を踏み入れ、ツタンカーメンの墓を発見したことに始まる。調査を始めて7年。後に20世紀最高の発見と称賛される偉業だった。

しかし、その華々しい発見直後から謎の怪死事件が続出する。まずは発見当日、カータ

エジプト第18王朝の若き王（ファラオ）・ツタンカーメンの黄金のマスク

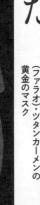

ーが飼っていたカナリアがコブラに食い殺される。カナリアはエジプトで幸運の鳥とされていた。その幸運の鳥がツタンカーメンの墓を見つけた直後に死んでしまったのだ。なんとも不吉な前兆は続き、封印されていたツタンカーメンの墓の入口に次のような死を警告する碑文が刻まれていた。

〈偉大なるファラオの墓にふれた者に、死はその素早き翼をもって飛びかかるであろう〉

碑文の内容は現実のものとなり、カーナヴォン卿が発掘の翌年1923年4月に原因不明の高熱で急死。5ヶ月後、彼の義弟で墓の開封に立ち会った考古学者も死亡。その後、1930年までにツタンカーメンの墓の発掘に関わった22人が死亡し、生き残ったのはわずかに1人だけだった――。

以上が「ファラオの呪い」として語りつがれてきた内容である。が、後年の調べで、その多くがガセネタと判明している。

最初の不吉な前兆とされたカナリアの出来事は、実は発掘当日ではなく、1ヶ月以上後の12月中旬に起きたことだった。また、入口にあったとされる呪いの碑文は完全なでっち上げで、そもそも碑文の存在自体、確認されていない。

カーナヴォン卿の死については、発掘後、数ヶ月で亡くなったのは事実であるものの、死因は不明ではなく、髭を剃っていた際に誤って蚊に刺された跡を傷つけ、そこから熱病に感染し、肺炎を併発したことだとわかっている。もともと彼は、発掘よりずっと前の1901年にドイツで遭遇した自動車事故が原因で肺を傷つけ、その療養も兼ねてエジプトの発掘調査に同行しただけで、さらに56歳での死亡は当時の平均寿命より高齢だった。

その他の調査隊員が1930年までに1人を残し全員が死亡したというのも全部ウソである。実際に発掘に参

ツタンカーメンの墓発見時に撮られた1枚

墓の中を調べるスタッフ

加したのは22人ではなく13人。1930年までに死亡したのもカーナヴォン卿と義弟だけで、他メンバーの大半も少なくとも60年以上生き、中には88歳で天寿を全うしたスタッフもいるくらいだ。

では、なぜこんな嘘八百の話が世に広まったのか。そこには、新聞各社とカーナヴォン卿との深い対立が関係している。

カーナヴォン卿は『ロンドン・タイムズ』紙と独占契約を結び、カーターが墓を発見した際も同紙にだけ情報を流した。ツタンカーメンの墓発見という世界的大ニュースを他紙が報じるには、タイムズ紙に多額の情報使用料を払わなければならない。

タイムズ紙以外の新聞は面白いはずはなかったが、そこに憎きカーナヴォン卿の病死の知らせが飛び込んできた。各紙は、これ幸いとばかりに彼の死を、眠りを妨げられたツタンカーメンの呪いであると大々的に報道。これが後の全てのウソの端緒となった。

2002年12月、オーストラリアのモナッシュ大学の教授マーク・ネルソンが、

左から、カーナヴォン卿（1923年、56歳没）、
イヴリン・ハーバート（カーナヴォン卿の娘。1980年、78歳没）、
ハワード・カーター（調査隊のリーダー。1939年、64歳没）

イギリスの医学雑誌『ブリティッシュ・メディカル・ジャーナル』に「ファラオの呪い」の調査結果を発表した。それによると、墓や棺の開封、ミイラの検査など、何らかの形で作業に関わった者は25人いて、彼らの死亡時の平均年齢は70歳だったそうだ。

ヒトラーがユダヤ人虐殺の大義名分に利用

人類史上最悪の偽書「シオン賢者の議定書」

第二次世界大戦期、アドルフ・ヒトラー率いるナチス・ドイツは数百万人のユダヤ人を強制収容所で虐殺した。いわゆるホロコーストである。

ヨーロッパにおけるユダヤ人の迫害は、イエス・キリストが磔《はりつけ》で処刑されたとされる紀元30年にさかのぼる。そもそもキリスト教の起源はユダヤ教にあるが、その後分離し、キリスト教徒はイエス・キリストを救世主として認めなかったユダヤ人を蔑み、またイエスが磔にされた責任もユダヤ人に

Сергѣй Нилусъ.

Великое
въ маломъ
и
АНТИХРИСТЪ,
какъ близкая политическая возможность.

ЗАПИСКИ ПРАВОСЛАВНАГО.

(ИЗДАНІЕ ВТОРОЕ, ИСПРАВЛЕННОЕ И ДОПОЛНЕННОЕ)

ЦАРСКОЕ СЕЛО.

議定書を最初に収録したセルゲイ・ニルス著『卑小なるもののうちの偉大』（1905年刊）の表紙

求める。やがてキリスト教がヨーロッパに広がるなか、ユダヤ人は「キリスト教を冒涜《ぼうとく》する存在」として憎悪され、様々な差別・迫害を受けることになったのだ。

ホロコーストはこうした歴史的背景が引き起こした人類史上最大の悲劇といえるが、ヒトラーの反ユダヤ主義に直接影響を与えた1冊の書物がある。シオン賢者の議定書。20世紀の初めにヨーロッパに出回った「ユダヤ人が世界支配する」という何の根拠もない陰謀論が書かれた100ページほどの冊子で、「史上最悪の偽書」「史上最低の偽造文書」と称されている。

この文書が最初に世に出たのは1903年。ロシア・サンクトペテルブルクの極右新聞『軍旗』が数回に分け紙面で公開した。

発表された文書は、1897年8月29日から31日にかけてスイスのバーゼルで開かれた第1回シオニスト会議の席上で発表された「シオン二十四人の長老」による決議文であるという体裁をとっており、その内容は「自由主義思想批判」「世界征服のための方法」「確立される世界政府の方針」を骨子とし、「社会に秩序をもたらすためには専制君主を再び呼び戻し、このときユダヤ王が君主として迎えられる」というものだった。

1905年、ロシアの神秘思想家セルゲイ・ニルスが自著『卑小なるもののうちの偉大――政治的緊急課題としての反キリスト』の中にこの議事録を収録し、当時のロシア皇帝

ヒトラーは議定書を偽物と知りながら、ユダヤ人迫害に利用したといわれる

ニコライ二世に献上。同時に一般に向けても出版され、世の中に広まっていく。

『シオン賢者の秘密』というタイトルで、議事録がドイツで出版されるのは、それから15年後の1920年。当時のドイツは第一次世界大戦敗戦により社会が困窮、混乱しており、その憂さを晴らすように同書は国民に受け入れられる。その中の一人がヒトラーだった。

1921年、ナチ党（国家社会主義ドイツ労働者党）の第一議長に就任したヒトラーは1923年11月、政府転覆を目的に起こした政治クーデター

「ミュンヘン一揆」に失敗。獄中で手記『我が闘争』（1925年〜1926年刊行）を執筆する。その中でヒトラーは、議定書について次のように記述している。

「ぞくっとするほどユダヤ民族の本質と活動を暴露している。多くのユダヤ人が無意識に行っているかもしれないことが、この書では明確に述べられている」

もっとも、このとき議定書は『ロンドン・タイムズ』紙が偽書と報道（1921年）、世間では捏造による文書との認識が定着しておりヒトラーもそれをわかっていた。が、「アーリア人至上主義」を掲げていたヒトラーは、偽物を承知のうえでこの書物をユダヤ人迫害のための大義名分として利用、後のホロコーストに繋げていったのである。

では、この議定書はそもそも誰が何のために作ったのか。一説では、ロシア帝国内務省警察部警備

捏造犯として有力視される、ロシア帝国内務省警察部警備局パリ部長ピョートル・ラチコフスキー（1851–1910）

局パリ部長のピョートル・ラチコフスキーが1897年から1899年の間に、現在も身元不明の作者に依頼して作成したものだといわれる。その目的は「ロシア民衆の不満を皇帝からユダヤ人に向けさせる」ためで、また彼が過去に家宅捜索したエリ・ド・シオン（Cyon）なる人物と、シオン賢者のシオン（Zion）がロシア語では同じ綴り

強制収容所のユダヤ人。写真は連合軍によって解放された際に撮影されたもの

になることから、議定書の出所をエリ・ド・シオンになすりつけようとしたとの説もある。

他にも、別のロシア人反ユダヤ主義者が捏造したものではないかなど作者に関しては諸説あるが、いずれにしろ、この架空の議事録がユダヤ人を悲劇に陥れた諸悪の根源であることは間違いない。

少女2人が撮った捏造写真を小説家のコナン・ドイルが本物と認定
コティングリー妖精事件

1916年7月、イギリス・コティングリー村。フランシス・グリフィス（当時8歳）とエルシー・ライト（同15歳）は、いつも森や川で一緒に遊ぶ仲の良い従姉妹同士だった。しかし、周りの大人たちは、森や川など危ない場所に行かないよう口うるさく注意するばかり。彼女らが常々口にしていた「私たち、妖精たちと遊んでるの」という言葉も、信じる者はいなかった。

自分たちの行動を非難し、話もろくに聞こうとしない大人たちを驚かせようという気持ちがあったのかもしれない。ある日、2人はエルシーの父親から借りたカメラで〝証拠写真〟を撮ってきた。見れば、なんとフランシスの周りに妖精らしきものが写っている。写真に写り込んだ小さい人物は背中から羽根が生えており、エリザベス調の薄い服を着ていた。エルシーの父親は最初驚いたが、2人のイタズラだと思いそのときは信じなかった。

2ヶ月後、2枚目の証拠写真が撮影された。今度はエルシーと妖精が一緒に写っている。

写真を現像した父親は「まさか」と思いながらも、念のため、ある人物に相談する。『シャーロック・ホームズ』シリーズで有名な小説家のコナン・ドイルだ。

ドイルは専門家に写真を調べさせ、二重写しがないことを確認したうえで1920年12月、『ストライト・マガジン』という雑誌に、本物の妖精の写真として発表する。有名小説家のお墨付きである。少女2人が撮った写真はイギリス国内で大反響を呼ぶ。

が、妖精の光の当たり具合が他の部分と異なっていたり、他の部分よりはっきり写りすぎているなど、当時から写真が偽物だという意見も少なくなかった。また、1915年に刊行された『プリンセス・メアリーのギフトブック』という絵本に挿絵として描かれていた妖精が、問題の写真の

エルシーが父親に借りたカメラで撮った最初の妖精写真

中の妖精たちとそっくりだったことも捏造の疑惑を強めることになった。

それでも、ドイルは「幼い子供がこんな偽造技術を持っているわけがない」と一貫して写真は本物と主張し続けたまま1930年7月に死去。その後、事件はしだいに風化していき、やがて完全に忘れ去られることになる。

事件から半世紀が経った1965年、『デイリー・エクスプレス』紙の記者がエルシーのもとを訪れた。事の真偽を確かめる記者に、彼女はあっさり答えた。

「あの写真は、私とフランシスの想像の産物だったの」

その後、フランシスも『タイム』誌に告白文を発表し「エルシーとの川遊びで母に叱られ、妖精に会いに行くと言っても信じてもらえなかったので」と捏造を認める。

彼女たちの証言によれば、フランシスは絵を描くのが得意で、例の絵本の挿絵を模写して切り抜き、帽子留めのピンで固定していたのだという。何とも稚拙な細工だが、これで多くのイギリス国民が騙されたのだから苦笑するよりない。


「エルシーにヘア・ベルの花を差し出す妖精」と名づけられた1枚。事件から半世紀後、エルシーはウソを告白。あまりの騒ぎに、長年、名前を隠し暮らしていたという

エルシーによれば、ちょっとしたイタズラが想像以上の大ごとになり怖くなったことに加え、ドイルの名誉を守る使命感で、長年ウソを突き通すしかなかったそうだ。

ただ、2人が最後まで譲らなかったことがある。妖精を本当に見たが写真に撮れなかったこと、そして最後の1枚だけは本物という2点だ。彼女らが撮った写真は全部で5枚あり、1978年、コンピュータ分析により、妖精は立体ではなく、平面な紙などに描かれ切り抜かれたものであることが判明している。が、5枚目の「日光の繭」と名づけられた写真だけは偽造の証拠が見つかっておらず、真相は今も明らかになっていない。

有名小説家まで巻き込んだ事件の主役、フランシス・グリフィスは1986年に79歳で、エルシー・ライトは1988年に86歳でこの世を去った。

2人が最後まで本物だと主張し続けた「日光の繭」。
中央に、他の写真とは雰囲気の異なる
繭状の物体が写っている

59年後、完全なトリックだったことが判明
ネッシーを撮影した「外科医の写真」

ネッシー。スコットランド最大の淡水湖ネス湖に潜むといわれる巨大モンスターの通称で、その存在は20世紀最大級のミステリーとして名高い。

最古の目撃談は紀元５６５年。アイルランドの伝道師が不思議な水棲獣と遭遇した記録が残されている。目撃談が飛躍的に増えるのはネス湖周辺の道路が整備された１９３３年以降だが、最も有名なのは翌１９３４年４月に、英紙『デイリー・メール』に掲載されたネッシーを捉えた写真である。

1934年4月、英紙『デイリー・メール』の1面に載ったネッシー発見の報道。写真は「Surgeon's photo（外科医の写真）」として世界的に有名になる

Daily Mail

LONDON SURGEON'S PHOTO OF THE MONSTER

Monster Yards from Lochside: See Enlargement Inside

Does Monster Really Exist?

撮影したのはロンドンの外科医（実際は産婦人科医とされる）ロバート・ケネス・ウィルソンで、友人とともに鳥の写真を撮りにネス湖に遊びに行った際、突然湖面に現れたネッシーを、持っていたカメラで写したものだという。写真には岸が写っておらず、ネス湖を撮影したという確証はなかったが、水面から現れた細長い首は首長竜のプレシオサウルスのような恐竜と同時代に栄えた水棲爬虫類を思わせるもので、この通称「外科医の写真」を証拠に、ネッシーは長い間、実在するものと信じられてきた。

それから59年後の1993年11月、驚くべき真相が明らかになる。クリスチャン・スパーリングなるイギリス人が死の間際に、この写真がフェイクであることを告白したのだ。スパーリングによれば、彼の養父でイギリスと南アフリカで俳優、脚本家、プロデューサー、映画監督として活躍したマーマデューク・ウェザレル（1939年没）が、自ら発見したネッシーの足跡を偽物と判定されたことを不満に感じ、おもちゃの潜水艦に30センチほどのネッシーの首の模型を付けた物を撮影。そしてウェザレルが自分の知り合いで、当時、社会的信用度の高かった医者のウィルソンに偽証を依頼し、彼が撮影したものとして写真に説得力を持たせたのだという。ウェザレルとスパーリングはあくまでエイプリルフールのジョークのつもりだったが、世界的に話題になったことで引くに引けないまま半世紀以上が経ち、死を間近にしてようやく真実を明らかにする気になったそうだ。

単なる遭難事故を怪事件に
バミューダトライアングル失踪事件

バミューダトライアングルは、アメリカ・フロリダ半島の先端と、大西洋にあるプエルトリコ、バミューダ諸島を結んだ三角形の海域で、昔から船や飛行機、もしくは乗務員のみが消えてしまうという伝説が数多く残されている。

この場所が〝魔の三角海域〟として世に知れ渡ったのは1974年、アメリカの作家で超常現象研究家チャールズ・ベルリッツが著した『謎のバミューダ海域』が総発行部数500万部以上の一大ベストセラーとなってからだ。

同書によれば、バミューダトライアングルでの不可解な出来事は、1840年にヨーロッパからハバナへ向かう途中のフランスの商船ロザ

バミューダトライアングルで起きた怪事件を紹介した著書がベストセラーとなった超常現象研究家のチャールズ・ベルリッツ

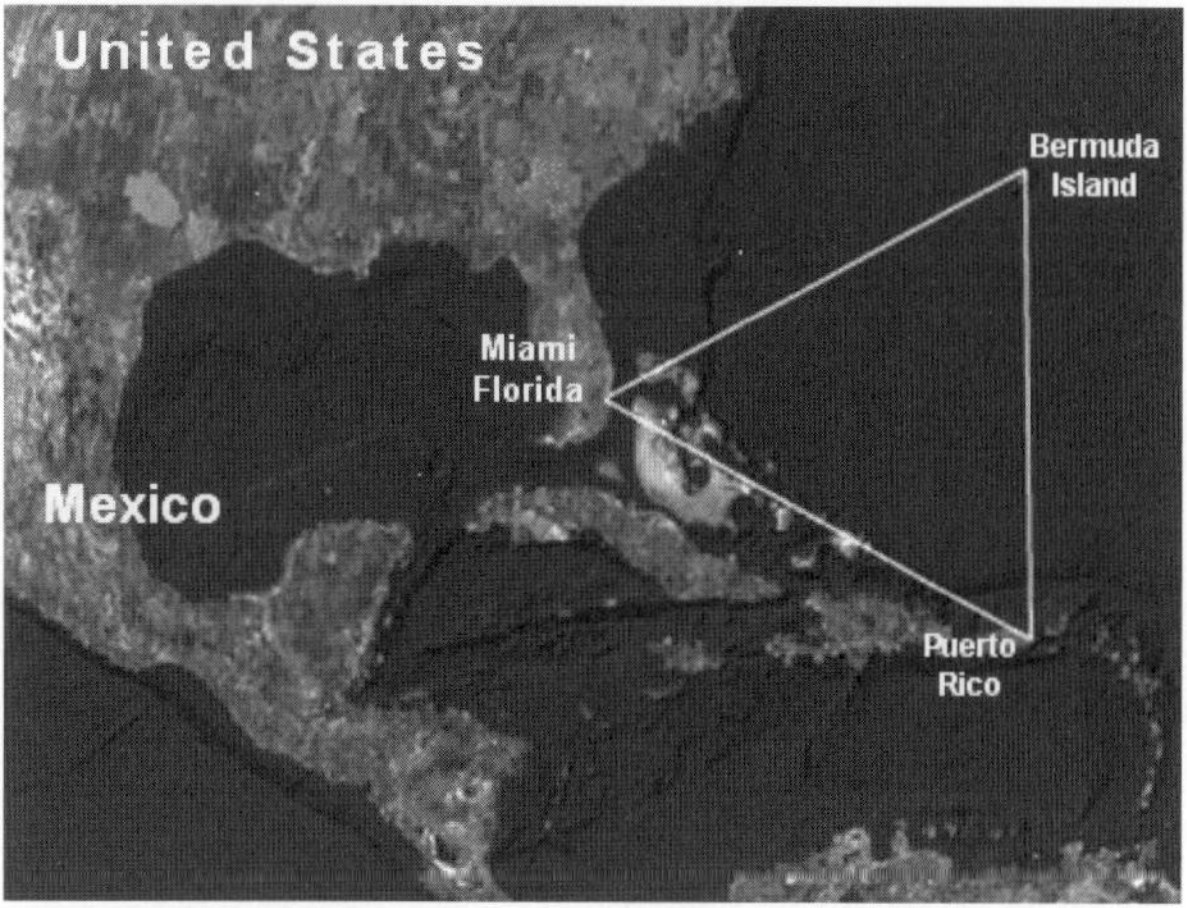

「魔の三角海域」と呼ばれるバミューダトライアングル

リエ号が荷物を残したまま発見されたものの乗務員の姿が一切見つからなかった事件に始まり、乗客・乗員150人を乗せたフランスの客船オブライエン号の行方不明（1920年）、アメリカ空軍カーチスC46輸送機が32人の乗員を乗せたままバハマ上空で行方不明となり、後日、機体がジャマイカのブルー山脈で見つかったものの乗員の死体は一体も発見されなかった事件（1947年）、アメリカの貨物船マリン・サルファー・クイーン号の失踪（1963年）、ドイツの貨物船アニタ号の消失（1973年）など36件を数えるという。

　中でも長期にわたり語りつがれたのが、1945年12月5日、ベテランパイロットが操縦するアメリカ海軍のアヴェンジャー雷撃機5機が飛行中に消息を絶った事件だ。フロリダを飛び立った5機は、離陸から1時間35分後、隊員の1人から「どっちが西かもわからない。何もかもが変だ……方向が掴めない。海さえ普通じゃない」と無線連絡が入り、その1時間後「白い水に突入…」という意味不明の連絡を最後に全機とも消失したそうだ。

一連の事件は、全て天気の良い日に起き、嵐などに巻き込まれたのではないとされたことから、様々な説が流れた。バミューダ海域には宇宙で見られるようなブラックホールが存在し異世界に飲み込まれた。UFOに乗った宇宙人が船舶や

1963年2月に謎の失踪を遂げたとされるアメリカの貨物船
マリン・サルファー・クイーン号。真相は悪天候下での遭難事故

航空機、乗客・乗員を連れ去った。冷気の塊が海面に落下し、バースト（破裂）したように強風を引き起こした現象。その他、バミューダトライアングルには「電子雲」なるものが存在し、この近辺を飛行する航空機、航行する船舶がタイムスリップしたため残骸が一切見つからないという推論まで登場した。

しかし、こうした様々な仮説は、アリゾナ州立大学ヘイデン記念図書館の司書ローレンス・D・クシュが1975年に発表した著書『魔の三角海域　その伝説の謎を解く』でことごとく否定される。

例えば、1950年のサンドラ号の事件は「同年6月、長さ350フィート（約100メートル）の軍艦サンドラ号が、波も穏やかな夕暮れ時に姿を消した」とされていたが、サンドラ号が実際に出航したのは1950年4月で、そのときのフロリダは暴風と雷雨に見舞われていたそうだ。また船体の長さも350フィートではなく半分の175フィート。つまり、50メートルほどの船が暴風雨に遭い沈没したのが真相なのだ。

また、1963年に起きたとされるマリン・サルファー・クイーン号の事件では、同年2月2日に米テキサス州ボーモント港から出港し、好天の中を航行していたが、突如失踪し事故現場には救命胴衣だけ残されていたと伝えられていたものの、当時、沿岸警備隊がバミューダ海域にいた別の船から、突風が吹き荒れ、波高は10メートルに及ぶと報告を受けていた。遺留品も救命胴着だけではなく霧笛や船体の破片が発見されており、これも単なる遭難事故だ。

1945年のアヴェンジャー雷撃機5機の失踪も、乗っていたのは編成隊長を除いて全て訓練生で、当日は突風が吹き荒れる最悪の天候だった。しかも、飛行していたのはバミューダ海域よりはるか北方で、無線も6時間近く交信されていたのが事実。また、意味不明な発言は、事故調査報告書に一切記述されていないそうだ。

バミューダトライアングルで起きた船や飛行機の謎の失踪は、『謎のバミュー

1945年12月に失踪したアヴェンジャー雷撃機5機の乗務員。編成隊長を除いて全員が若き訓練生で、これまた悪天候の中で起きた事故だった

ダ海域』を著したベルリッツをはじめ多くの超常現象支持者が、金儲けのために意図的に作り出したもので、その大半が単なる遭難事故である。

週刊誌記者が金目当てで企んだ世紀の偽造スキャンダル

「ヒトラーの日記」発見事件

ナチス・ドイツの独裁者アドルフ・ヒトラーが生前書いていた日記を発見——。そんな大ニュースが世界を駆け巡ったのは1983年4月25日のことだ。

発見したのは、西ドイツ（当時）・ハンブルクの大手出版社グルーナー・ウント・ヤールが発行する週刊誌『シュテルン』の記者ゲルト・ハイデマン（当時51歳）だ。彼の説明では、ドイツ敗戦直前の1945年4月、ベルリンの総統地下壕から機密文書を運び出した飛行機がドレスデン南部のエルツ山中に墜落。ヒトラーの日記はその機体の残骸から持ち出され、長らく隠されていたが、東ドイツの将官を兄弟に持つ裕福なナチス記念品のコレクターが所蔵しており、その人物から入手したのだという。

日記は1932年から1945年のヒトラー自決寸前までを綴ったもので全部で60冊。1981年2月、ハイデマンがグルーナー・ウント・ヤール社に持ち込み、その後、同社が依頼した筆跡鑑定の専門家と科学者が2年をかけて真贋を判定した結果、本物と証明されたため、同社はハイデマンから1千万マルク（当時の価値で約8億5千万円）で買い取ったそうだ。

しかし、『シュテルン』に掲載された記事を読んだ歴史家らは首をひねる。例えば１９３３年２月27日のページは「月曜、雨、１日中在宅、夜、帝国議会」と記されており、他のページも似たような簡素な記述だが、時々、愛人エヴァ・ブラウンの想像妊娠騒ぎに言及する長文を綴ったページなどもあった。歴史家の間でヒトラーの執筆嫌いは周知の事実。にもかかわらず、この饒舌ぶりはいかにも不自然で、他にも史実と矛盾する部分が少なからずあった。

結局、世紀のスクープは発表から11日後の５月６日、西ドイツ連邦公文書館、連邦刑事警察庁、連邦物質調査局から正式に偽物と判定される。日記に１９４５年以前には存在しない紙、インク、のりが使われていたのが決め手だった。

事件の主犯はハイデマンである。彼は１９６０年

発見された「本物のヒトラーの日記」として
その一部を記事に掲載した週刊誌『シュテルン』

代、優秀な戦争記者だった。コンゴ動乱でハイデマンが撮った写真は1965年の世界報道写真大賞を受賞。しかし、1970年代に入ると〝ナチ物〟にのめり込み、持ち家を売ってまでナチスのナンバー2だったヘルマン・ゲーリングのヨットを購入したうえ、ゲーリングの姪を愛人にし、金欠病に陥る。そんなとき、ヒトラーの日記が隠されているという情報が飛び込んできた。まさに起死回生のチャンスだった。

そこに、名画の模写を手がけるシュトゥットガルト在住の古美術商クヤウが登場する。ドレスデン近郊の村に生まれ、ベルリンの壁出現以前に西へ逃れてきていたクヤウは、東ドイツの墜落現場とパイロットの墓を訪れて日記の存在を信じ込んだハイデマンに対し、東の隠匿者から日記を買い取り、西へ持ち出すことは可能だと語る。

しかし、ほどなくハイデマンはクヤウの話はウソで、日記は実在しないことを知る。が、もはや後には引けない。彼はクヤウに日記の偽造を依頼、すでに知られた出来事を満遍なく織り込んで、10年以上にもわたるヒトラーの日常を60冊も作成する。後の筆跡鑑定の際は、クヤウにサンプルを作らせ、それを鑑定に回し真贋判定の網をくぐり抜けていた。

ハイデマンは「日記の持ち主」に渡すべき代金を横領し、自身の不動産の購入などに充てていたことが判明したため、横領罪で懲役4年2ヶ月の刑を下される。クヤウは偽造の罪で懲役4年6ヶ月。また、日記を本物として発表したグルーナー・ウント・ヤール社の幹部数名が辞職。会社側も2千万マルク以上の損失を負うことになった。

ちなみに、ヒトラーは生前、自室の側に速記者を控えさせ、側近との談話を記録させていたことがわかっている。この通称「ヒトラーのテーブル・トーク」は、当初ハイデマンが説明したとおりベルリンがソ連軍によって包囲されつつあった1945年4月、輸送機によって1943年以降の記録が持ち出された。が、輸送機は連合軍機によって襲撃され、ドレスデン近郊に墜落した。この際に記録は全焼したものと見られる一方、事故現場から持ち出されたという憶測もささやかれており、これがハイデマンを世紀の捏造に走らせた背景といわれている。

1983年4月25日、記者会見で、発見した日記の1冊を手に取るゲルト・ハイデマン(右)。2021年1月現在、89歳で存命

「ロズウェルの宇宙人解剖フィルム」事件
特殊効果のプロが制作に関わった偽物と判明

事の発端は1995年。イギリスの実業家レイ・サンティリが所有する、異星人と思しき物体を手術台に乗せ解剖する様子を撮影した不気味なフィルムの映像が世に出回ったことだった。

サンティリによれば、これは1947年7月、米ニューメキシコ州ロズウェルにUFOが墜落し（いわゆるロズウェル事件）、1ヶ月後にテキサス州ダラスのフォートワース基地内で異星人の死体解剖が行われたのだが、後にUFO墜落現場と異星人死体解剖を撮影したという従軍カメラマンが現れ、そのフィルムを自身が買い取ったものだという。

サンティリが公表した「宇宙人解剖フィルム」の特筆すべき点は、その映像のリアルさにあった。本物にしか見えない宇宙人と思われる遺体の解剖シーンは各国メディアの度肝を抜き、32ヶ国でフィルムを紹介する番組が放送され、日本でも1996年に特別番組「UFO墜落から48年 今世紀最大の衝撃映像宇宙人は本当に解剖されていた!!」で流された。

とはいえ、この手の話はうさん臭さが付きまとうもので、フィルムを見た多くの専門家から「宇宙人の解剖という唯一無二の機会なのに解剖時間が短い（２時間程度）」「内臓や脳が結合組織によって保持されていない」「そもそも、ロズウェル事件で目撃された宇宙人と外見が異なる（指の本数が異なる）」といった否定的な意見が出される。一方、肯定派からは「フィルムに映っている電話機が当時の物」「映像が記録されたフィルムが１９４７年当時の物」といった主張がなされ、議論は平行線をたどった。

結論が出たのは２００６年。フィルムの所有者であるサンティリをはじめ、フィルムの制作に関わった人物が次々と「これは作り物である」と告白したのだ。映画で特殊効果を担当した経験のある人物も制作に関わったことを証言し、「宇宙人解剖フィルム」はプロが荷担した捏造であることが判明した。

ちなみにこのフィルム、偽物とわかった後もその出来の良さが評判を呼び、２００７年、「宇宙人の解剖 特別版」のタイトルでＤＶＤが発売されている。

「宇宙人解剖フィルム」に収められた映像

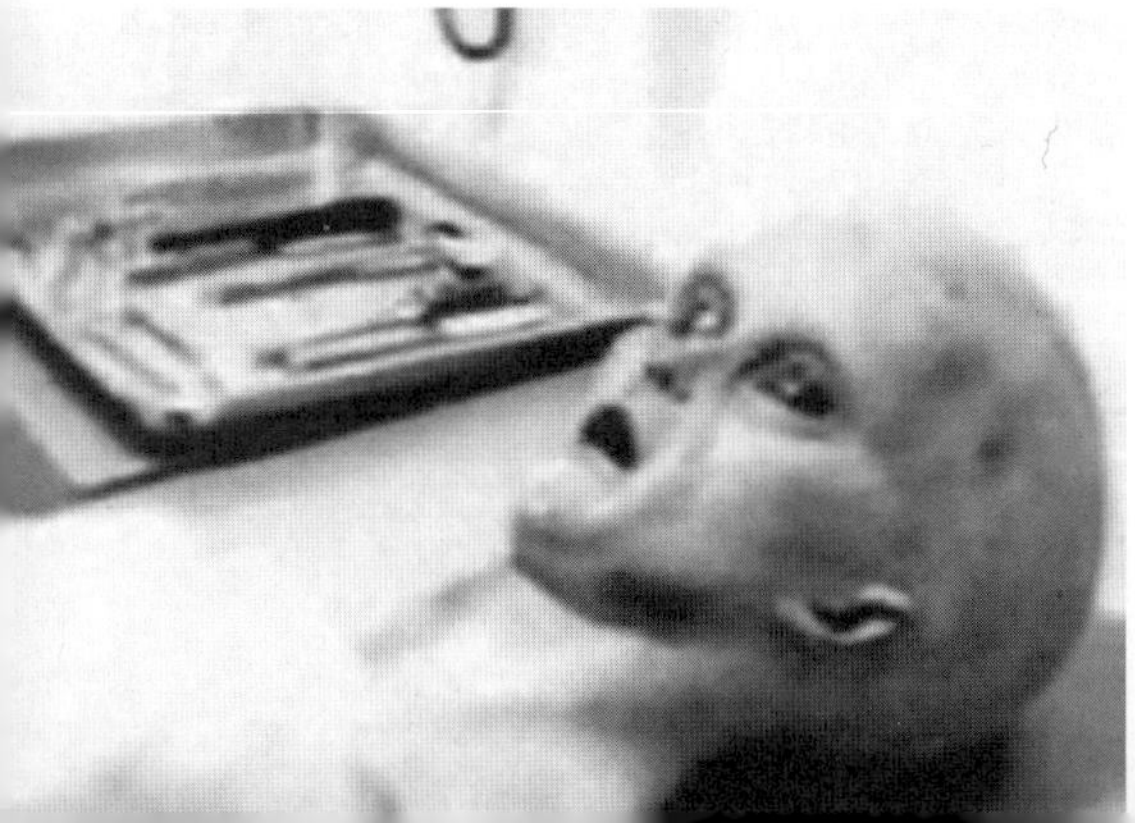

環境大臣が金のために仕掛けた一大やらせ事件

フィリピン・ミンダナオ島で未開の原始人「タサダイ族」発見

1960年代後半、フィリピン・ミンダナオ島で地元のハンターが、文明社会から孤立したまま原始的な暮らしを続けている部族を発見した。ハンターは、当時マルコス政権下で環境大臣を務めていたマヌエル・エリザルデ・ジュニアにこれを報告。1971年6月、エリザルデによって組織された学術調査団により初めて部族の存在が公表され、追ってアメリカのテレビ局CBSやイギリスBBCが報道したことで世界的な話題となる。

彼らは自分たちのことを「タサダイ」と呼ぶ、わずか26人、6家族の少数部族だった。普段は洞窟に住み、木をこすって火をおこし、カニやオタマジャクシ、ヤムイモなどを食べて暮らす自給自足の生活。格好は上半身裸で局部だけを葉っぱで覆う原始人さながらの姿だった。

特筆すべきは、タサダイ族が使う独特の言葉に「武器」「戦争」「敵」という暴力的な単語が存在しなかったことで、このことにより彼らは世界中から「愛の部族」と称賛されるようになる。

こうしてタサダイ族の人気がヒートアップしていくなか、1974年6月、フィリピン政府は彼らを保護する目的でタサダイ族の居住区への立ち入り禁止を決定。同時にタサダイ族保護のための基金財団を設立し、チャールズ・リンドバーグやロックフェラー4世など世界中の著名人から3千500万ドル（当時の価値で約12億円）を集める。その窓口となったのがエリザルデ環境相だった。

同年、政府はタサダイ族を、ミンダナオ島に設置された約190平方キロメートルの広大な保護区に移住させる。出入りはヘリコプターのみ、周囲は兵士で固め、関係者以外は立ち入り禁止。実質的な「隔離生活」はその後12年間にも及んだ。

発見後、世界中のメディアがタサダイ族の姿をカメラに収めた

洞窟の中で暮らすタサダイの一家族。全て演技だったことが後に判明

マルコス政権崩壊後の1986年、2人のスイス人ジャーナリストが保護区に潜入する。それ以前に調査のために現地へ入っていた言語学者から、タサダイ族の言葉に「モルタル」や「屋根」などの単語が存在し、洞窟に居住していることと辻褄が合わないという報告があり、その真偽を確かめるのが目的だった。

果たして、彼らが居住区で目にしたのは、これまで報道されていたものを完全に覆す驚愕の光景である。なんと、タサダイ族は普通の家に住み、タバコを吸い、ジーンズ姿でバイクに乗っていた。いったい、どういうことなのか。ジャーナリストの疑問に、部族の数名が悪びれることもなく答えた。

自分たちはエリザルデに頼まれタサダイ族を演じているだけ。学者などが来るたびに洞窟に通い、それらしく見せていた。全て金のためである――。

衝撃の告白に、2人のジャーナリストはアメリカのニュース番組で「タサダイ族は世界的詐欺事件である」と発表。このスクープは、驚きをもって世界中を駆け巡る。

タサダイ族は全てエリザルテの仕掛けた壮大なやらせで、その目的は金だった。

エリザルデは、捏造事件が発覚する3年前の1983年、保護基金として集めた3千500万ドルと25人の少女を連れて、中米コスタリカに逃亡していた。いずれ追及されるであろう詐欺容疑を避けるためだ。が、1988年、フィリピン国内の情勢が安定すると同時に帰国。財産を使い果たしたうえ麻薬中毒に陥り、タサダイ族に関して一切説明することなく、1997年5月、白血病により60歳でこの世を去った。

右のサングラスの男性が事件の主犯、マヌエル・エリザルデ・ジュニア環境大臣

2ちゃんねるから拡散された黒いジョーク

鮫島事件

２０１９年１月２日と３日、ＮＨＫ Ｅテレで「平成ネット史（仮）」という特番が放送された。マイクロソフトのウインドウズ95発売からの約20年を平成の終わりに振り返るというもので、「窓」「侍魂」「なう。」「ヤシマ作戦」「初音ミク」「電車男」「炎上」など、巨大ネット掲示板2ちゃんねるなどで使用された多くのキーワードが年表とともに解説された。

放送に先立ちＮＨＫでは番組専用のツイッターを開設したのだが、２０１８年11月24日にツイートされた一つの投稿が話題を呼ぶ。

「期待されてる方もおられるようですが、#平成ネット史とは言っても、さすがに地上波で鮫島事件を扱うことは出来ません。ご容赦ください」

ツイートには１万を超える「いいね」が付き、古くから

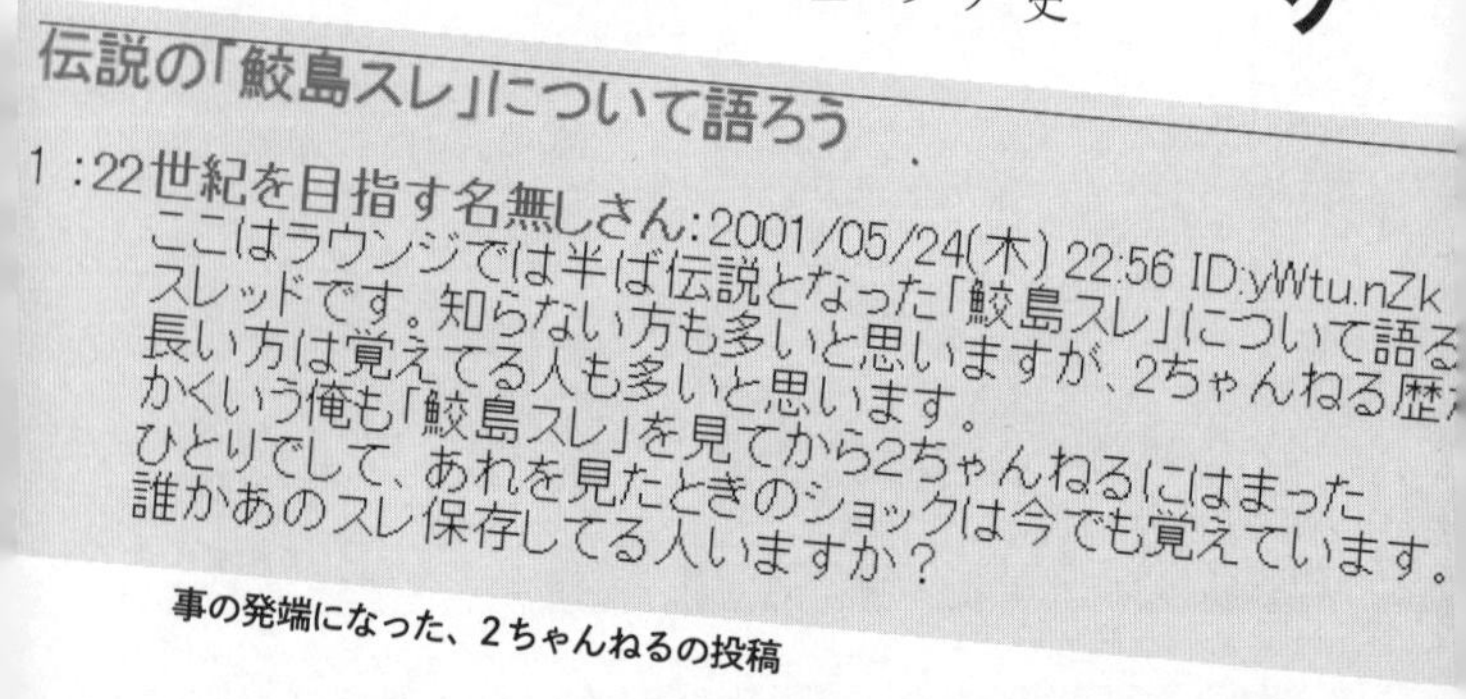
伝説の「鮫島スレ」について語ろう
1 ：22世紀を目指す名無しさん：2001/05/24(木) 22:56 ID:yWtu.nZk
ここはラウンジでは半ば伝説となった「鮫島スレ」について語る
スレッドです。知らない方も多いと思いますが、2ちゃんねる歴
長い方は覚えてる人も多いと思います。
かくいう俺も「鮫島スレ」を見てから2ちゃんねるにはまった
ひとりでして、あれを見たときのショックは今でも覚えています。
誰かあのスレ保存してる人いますか？

事の発端になった、2ちゃんねるの投稿

のネットユーザーをざわつかせる。鮫島事件を出してくるとは、NHKの制作陣、相当煽っているな、と。

鮫島事件は2001年5月24日、2ちゃんねる（現5ちゃんねる）のラウンジに「伝説の『鮫島スレ』について語ろう」というスレッドが立てられたことに端を発する。

〈ここはラウンジでは半ば伝説となった『鮫島スレ』について語るスレッドです。知らない方も多いと思いますが、2ちゃんねる歴が長い方は覚えてる人も多いと思います。かくいう俺も『鮫島スレ』を見てから2ちゃんねるにはまったひとりでして、あれを見たときのショックは今でも覚えています。誰かあのスレ保存してる人いますか？〉

読んだ人の好奇心を誘う内容で、「鮫島事件とは何か？」という多くの問いかけに対し、3日後の5月27日にはこんな投稿が。

〈今までの情報　●公安がらみ　●おやじが死んだ　●村田（怖いから仮名ってことでヨロシク）の証言から2部作成　●今は料理人（生き残りの恥）●犯人はまだつかまっていない　●ブラジル人の妻　●鮫島の息子（京都のR命館）が教室でやったのが発端　●鮫島問題はある意味「差別」につながる　●ここの管理人もなんらかの関係が？〉

妙に気になるキーワードがちりばめられているものの、事件の具体的な内容は一切不明。それがまたユーザーの興味を惹き、鮫島事件＝タブーとして、2ちゃんねるからインターネット全体へと広まっていく。

しかし、真相はあまりにお粗末だ。鮫島事件などというものは最初から存在せず、さも恐ろしげな事件があったような書き込みをすることでユーザーを巻き込むネタだった。逆に言えば、事件が存在しないことを証明することが困難なため、噂が真実かのごとく拡散していったのである。

第7章

国家権力のでっち上げ

松山事件・死刑判決の決め手となった「血痕付着の掛け布団」捏造疑惑

無実の罪で獄中に28年7ヶ月

1955年10月18日、宮城県志田郡松山町（現・大崎市）の農家が放火されて全焼、焼け跡から家主（当時54歳）、妻（同42歳）、四女（同10歳）、長男（同6歳）の4人の焼死体が発見された。遺体解剖の結果、長男以外の頭部に刀傷が認められたため、宮城県警は放火殺人事件として捜査本部を立ち上げる。

同年12月2日、警察は突如、東京の会社に勤務していた斎藤幸夫《さいとうゆきお》氏（同24歳）の身柄を拘束する。捜査に行き詰まった警察が、犯行当日以降地元を去った人物を調査したところ浮上したのが斎藤氏で、最初はすでに示談が成立していたケンカを傷害事件に格上げし、上京を家出に見せかけた高飛びと偽り別件で逮捕。取り調べで、本件の放火・強盗殺人の自供を迫った。

無実を訴える斎藤氏に対し、警察は信じられない暴挙に出る。留置場内に前科5犯のスパイを送り込み、「警察の取り調べで罪を認めても、裁判で否定すればいい」とそそのかしたのだ。連日の厳しい取り調べに疲れ果てた斎藤氏は6日、ついに自供。警察は8日に放火・強盗殺人の容疑で同氏を逮捕し、30日、起訴に至る。

斎藤氏は裁判で一貫して無罪を主張した。が、1957年10月29日、仙台地裁が下した判決は死刑。二審の仙台高裁も控訴を棄却し（1959年5月26日）、最高裁でも上告が棄却されたことで、1960年11月1日、死刑が確定する。

裁判所が有罪・死刑の決め手としたのは、斎藤氏の掛け布団に付いていた血痕である。警察によると、同氏は犯行後返り血を浴びたまま自宅に戻り布団で寝たが、その際に布団の襟当てに80数ヶ所の血痕が付着していたのだという。大学教授による血液鑑定で、この血痕群と被害者の血液型が一致したと発表され、仙台高裁は、掛け布団の血液は、返り血を浴びた斎藤氏の頭髪を介して付着したと認定した。

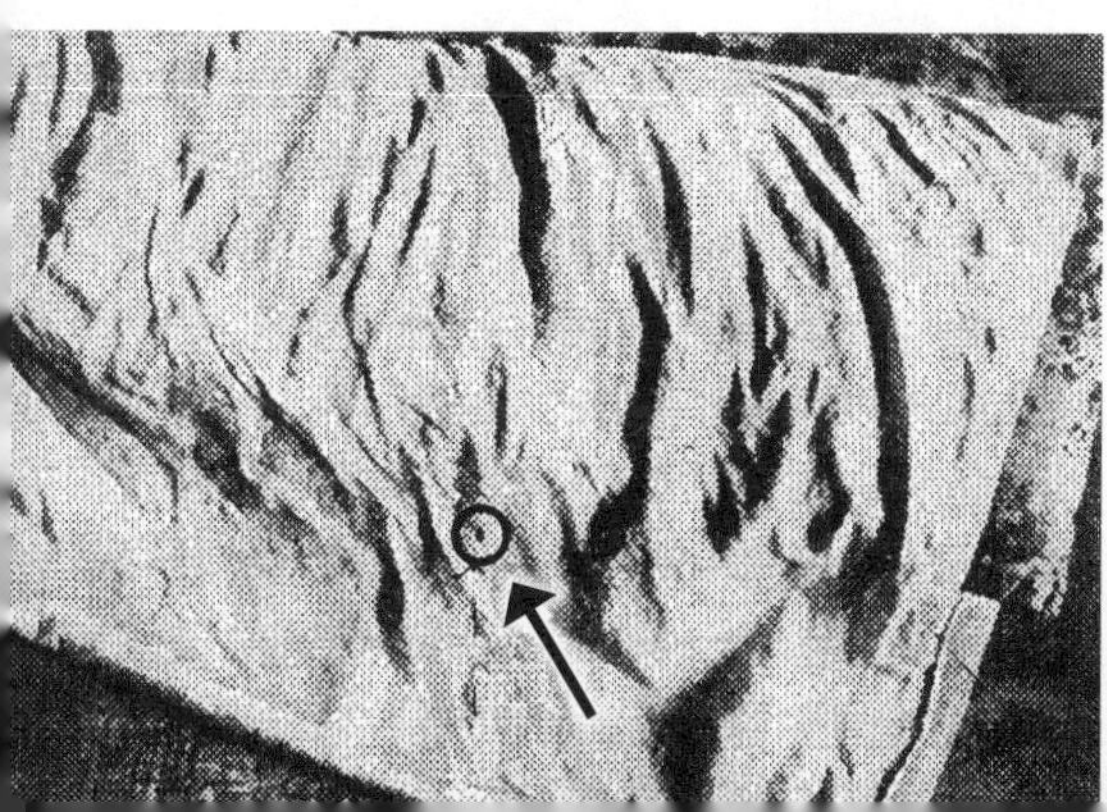

警察が押収した斎藤氏の掛け布団。血痕らしきものは中央矢印部分に1ヶ所しかなく、この写真が撮られた後、警察は被害者の血液を大量に付着させた疑いが濃い

しかし、これは警察が斎藤氏を犯人に仕立て上げるための完全な捏造である。警察が同氏の自宅から押収した布団の写真には血痕（とも取れる染み）が1個程度しか写っていない。つまり、血痕は、斎藤氏逮捕後に警察が被害者の血液を意図的に付着させ作った偽の証拠品なのである。

さらに警察は証拠隠滅も働いていた。斎藤氏の自白では「犯行の返り血でズボンやジャンパーがヌルヌルした」となっている。が、警察は、事件直後に血液鑑定を行い着衣に血痕の付着がない事実を知っていたにもかかわらず、死刑判決が出た第一審に血液鑑定書をあえて提出しなかった。弁護団の強い要請で、第二審の結審に提出されたが、仙台高裁は「犯行直後、被告人が溜池で洗ったり、その後も洗われているので血痕が付着していない」と、警察に都合の良い判断に固執した。

死刑確定後も斎藤氏は獄中から無罪を訴え、再審を請求。前記した証拠捏造の疑惑もあり、1979年12月6日、仙台地裁は再審開始を決定、1984年7月11日、斎藤氏に無罪判決を下す。

再審無罪判決は、上京は高飛びではない、警察は素行不良者に対する予断と偏見に基づいて見込み捜査を行った結果、違法な別件逮捕に踏み切ったと断定。自白についても、警察が送り込んだ同房者が「自白すれば刑が重くはならない。5、6年の刑ですむ。警察の留置場より拘置所や刑務所の生活の方が快適だ」などと誘導した結果によるもので、斎藤氏の自白には、秘密性のある供述がほとんどなく、その信用性は乏しいと認定した。

そして、問題の布団の血痕群は、同氏の頭髪を介して付着するのは不自然で、押収当時に掛け布団の襟当てに血痕群が付着していた点も疑わしく、押収以後に付着したと推測できると判断。大学教授による鑑定は、斎藤氏の有罪を証明できないと認めた。その後、同氏が国に誤判の責任を問うた国家賠償訴訟では、掛け布団に付着した襟当ての斑痕は生活汚斑であり、血液鑑定は虚偽鑑定と公表している。

28年7ヶ月にも及ぶ獄中生活に終止符が打たれ無罪となった斎藤氏は7千516万8千円の刑事補償金を受け取っている。が、その全てが裁判費用の借金返済に消え、再審請求以降の費用は借金ができず、支援団体のカンパでまかなっていた。その後、同氏は故郷に戻り、会社に勤務しながらアムネスティ日本支部などの団体で講演活動をしていたが、長期間死刑囚として過ごした間の年金は支給されず、晩年は生活保護を受給しての生活だったという。多臓器不全でこの世を去ったのは2006年7月。享年75。警察の捏造が生んだ悲劇の人生だった。

1984年7月11日、無罪判決が下り、長年支えてきた母親と手を取り喜び合う斎藤氏

袴田事件「5点の衣類」捏造疑惑

事件から1年2ヶ月後、突然、本物の犯行着衣が出現

1966年6月29日未明、静岡県清水市（現・静岡市清水区）で味噌販売会社の専務宅が放火に遭い、屋内から一家4人の刺殺遺体が見つかった。静岡県警は当日、専務宅に従業員に渡す予定の給料が現金で置いてあったことを知る内部犯行と睨み、事件から49日後の8月18日、味噌会社の従業員で、同社の寮に住んでいた袴田巖《はかまだいわお》氏（当時30歳）を強盗殺人、放火、窃盗の容疑で逮捕する。

逮捕の主な理由は、当日のアリバイが不明なこと、袴田氏が元ボクサーだったこと、家宅捜索により同氏の部屋から縞模様入りのパジャマが見つかり、鑑定の結果、パジャマから袴田氏とは別のA型（専務）とAB型（長男）の血液が検出されたことの3点だ。

警察は最初から袴田氏が犯人との予断を持っていた疑いが極めて強い。火災発生時、氏は消火活動に参加していたが、このときの様子をはっきり記憶していた者がいなかったことが災いし、逆に警察は消火活動の際、氏が屋根から落ちて負った傷を被害者宅に侵入し専務と格闘したときにできたものと決めつけた。元ボクサーという肩書きも、当時はボクシング＝野蛮、素行不良者がやる格闘技という偏見があったこと。パジャマから発見され

た血液は、実際は鑑定のやり直しが不可能なほど微量だった。

そして最も不可解なのは動機がなかった点だ。後に警察が作成した調書で、犯行理由は「母親と（離婚後引き取った）子供と暮らすアパート代を盗むため」とされているが、袴田氏は当時、放火・殺人を犯してまで金を手に入れなければならない逼迫した状態になかった。また、氏は被害者4人とは親しい間柄で、特に専務に可愛がられていたことは後に多くの関係者が証言している。

身に覚えのない袴田氏は当然ながら身の潔白を主張する。が、警察の取り調べは熾烈を極め、1日平均12時間という気が遠くなるような時間と、水を与えない、

容疑者として逮捕された袴田巖氏（右）。元ボクサーという肩書きも不利に働いた

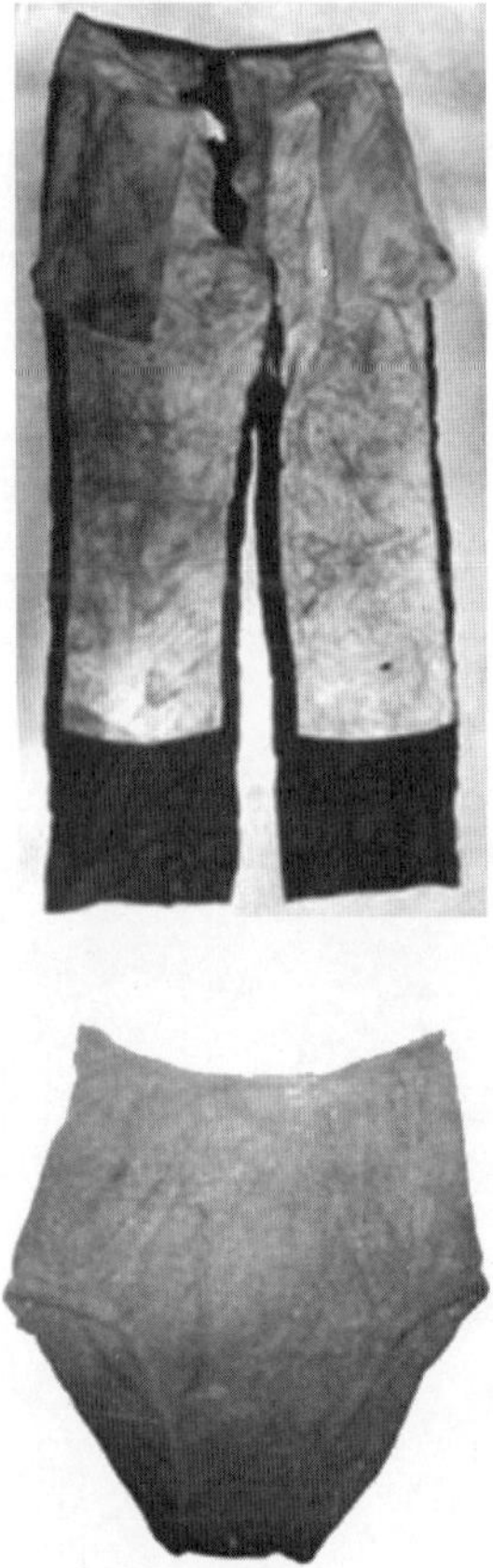

一審の公判途中、突如発見された血染めの5点の衣類。検察側はこれを犯行時の着衣と断定

小便を取調室に持ち込んだ便器で済まさせるなどの拷問で氏を追及。ついに自白に追い込む。

そして裁判。氏と弁護側は一貫して無罪を主張する。裁判官も取り調べに無理があったと疑い、検察が提出した自白調書の大半を不採用とした。

しかし、初公判から9ヶ月半が過ぎた1967年8月31日、突然、裁判に大きな異変が生じる。味噌工場の一つのタンクの底から、1人の従業員が味噌漬けとなった麻袋を発見。その中から、はっきりと血痕の付着した5点の衣類（ズボン、ステテコ、緑色ブリーフ、スポーツシャツ、半袖シャツ）が出てきたのだ。これを受け捜査当局は袴田氏の自宅を捜索し、タンスの引き出しから血液の付着したズボンと生地・切断面が一致する共布《ともぬの》（裾を詰めた際に余った布切れ）を押収。次回公判で検察は当初の主張を変更し、袴田氏が犯行時に着ていたのはパジャマではなく、この5点の衣類であると断定した。

これが本物なら、有罪を指し示す絶対的な証拠といえるだろう。が、警察は逮捕前の1966年7月6日の家宅捜索で工場内を徹底的に調べており、タンクの中から5点の衣類が入った麻袋を見つけていない。それが事件から1年2ヶ月後の公判途中、突然出てくることなどありえるだろうか。

仮に袴田氏が犯行後、この衣類を隠していたとするなら、後日、自ら深さ1・7メートルのタンクに入り味噌の中に衣類を埋めたことになる。タンク内の味噌は定期的に搬出されている。いずれ従業員に見つかることは明らかなのに、そんな場所に重要な証拠品の犯行着衣を隠すはずがない。

裁判の最終弁論で弁護人は「後から発見されたスポーツシャツなどの衣類は被告のものと断定することはできない。証拠を作り上げたことは明らかだ」と捏造を疑う主張を述べている。捏造を働いてメリットがあるのは、喉から手が出るほど証拠が欲しかった警察・検察をおいて他にない。

2014年3月27日、勾留されていた東京拘置所から釈放される袴田氏。右の女性は長年無実を信じ支援し続けてきた姉の秀子さん

にもかかわらず、下った判決は死刑だった。控訴審、最高裁も一審判決を支持し刑が確定。袴田氏は逮捕から45年以上も塀の中で拘束された後、2014年3月27日、静岡地裁が死刑及び拘置の執行停止並びに裁判の再審を命じる判決を出したことで釈放される。

対し、静岡地方検察庁はこの決定を不服として即時抗告。2018年6月、東京高裁は検察側の主張を認め再審請求を棄却。しかし、2年後の2020年12月、最高裁第3小法廷は「犯行時の衣類に付着した血痕の色に関し審理が尽くされていない」として、再審開始を認めなかった東京高裁決定を取り消し審理を同高裁に差し戻す決定を下す。報道によれば、5人中3人の裁判官の多数意見で、2人は「再審を開始すべきだ」とする反対意見をつけたそうだ。決定は結論の方向性を示しておらず、再審が認められるか否かは差し戻し審での審理次第となる。

自殺した有力容疑者に似た男性の顔写真を無断で使用
3億円事件「犯人モンタージュ」のウソ

左ページに掲載したのは1968年12月に発生した、世に言う「3億円事件」の犯人モンタージュ写真だ。白バイのヘルメットを被った男の写真は事件の象徴として広く知られるが、実はこれ、警視庁の捜査本部が、当時すでに亡くなっていた男性の写真をそのまま流用・加工した代物であることをご存じだろうか。そこには、事件の有力な容疑者として浮上した当時19歳の青年Sの存在があった。

Sは事件現場に近い立川市の不良グループに所属していた人物で、事件の9ヶ月前に立川市のスーパーで「発炎筒をダイナマイトに見せかけた」3億円事件に似た手口の強盗事件を起こした仲間とも親しかったことから、当初から真犯人に疑われていた。

特筆すべきは、Sが現職の警視庁交通機動隊中隊長の息子で、犯行に使われた白バイに関する知識が豊富と思われた点だ。が、事件から5日後の12月15日、Sは青酸カリで自殺を遂げる。青酸カリは父親が購入していたもので、それが包まれていた新聞紙に父親の指紋が残されていたことから、Sは父から自殺を強要されたのではないかという噂も流れた。

捜査本部はSの通夜に、襲われた現金輸送車に乗り犯人を目撃した信託銀行の行員4人を参列させ、Sの遺影を見せる。言うまでもなく「面通し」が目的だった。果たして、全員が「実行犯に似ている」と答える。これを受け、警察はSの顔に似て、すでに死亡していた男性を捜し出し、彼の写真を無断でモンタージュに使用、12月21日、マスコミに公表したのである。

この事実は警視庁の幹部クラスに知らされておらず、現場の刑事たちは本物のモンタージュ写真だと信じ何年も捜査を続けた。3億円事件が未解決のまま終わったのは、この隠ぺい工作が要因の一つとも言われている。

あまりに有名な1枚。左の、モンタージュ写真に使われた男性は事件の数ヶ月前に服毒自殺を図った人物とも言われている

身内の犯行を隠すため、届け出た主婦に濡れ衣を

堺南警察署「取得金ネコババ犯」でっち上げ事件

1988年2月6日、大阪府堺市のスーパー「カネヒロ」の店内で、1人の客が大和銀行（現・りそな銀行）の封筒が落ちているのを発見した。中を確認したところ、1万円札が15枚入っていた。客は従業員に、従業員はスーパー経営者の妻Mさん（当時37歳）に手渡し、Mさんは現金入りの封筒を、店から歩いて1分もかからない大阪府堺南警察署（現・西堺警察署）槇塚台《まきづかだい》派出所に届け出る。午前11時40分頃のことだ。

このとき交番にいた男性巡査N（同31歳）は「それやったら、もう届けが出てるわ」と答え、茶色の紙片に鉛筆でMさんの名前と年齢、住所、連絡先の電話番号を走り書きした。Mさんには、巡査が取得物受理の正式な書類を作成しないことが少し不思議だったが、すでに届けが出ているなら手続きも簡単でいいのかと、深く考えずに派出所を後にする。

同日17時頃、実際に15万円を落とした男性が槇塚台派出所に口頭で届け出る。普通ならこれで遺失物事件は決着するはずだった。が、派出所の答えは「そのような落とし物の届

け出はない」というものだった。

3日後の9日、最初に封筒を拾った客が「あのお金どうなりました？」と店に聞きにきた。そしてその約1時間後、偶然にも落とし主の男性も「ひょっとしたら」と訪ねてくる。Mさんは仰天した。すでに届けが出ており、お金はとっくに落とし主のもとに戻っているはずなのに、いったいどういうことなのか。Mさんが堺南署に問い合わせの電話を入れたところ、「そんな封筒は受理していない」と思いもよらぬ答えが返ってきた。さらに、届けに行ったとき交番にいたのは本当に警察官だったのか、とも聞いてくる。担当者の話では、ガードマンが交番にいることもありうるという。Mさんは混乱するしかなかった。

この電話を受け、堺南署は確信する。N巡査がネコババしたに違いない、と。しかし、身内の不祥事を公にすることはできない。3月に栄転を控えていた同署の署長、副署長、警ら課長らは、この一件をMさんが盗んだものとして濡れ衣を着せようと画策する。


15万円入りの封筒が落ちていたスーパー「カネヒロ」。

（読売新聞大阪社会部編『警察官ネコババ事件』より。講談社文庫）

3日後の12日、堺南署の部長刑事がスーパーを訪ねてきて、そのとき不在だったMさんに代わり彼女の夫にこう告げた。

このビニール袋に入っている封筒の切れ端3枚は、店が休みの2月10日に店の敷地内を捜索し発見したものだ。封筒には落とし主の指紋が付着している。奥さんが封筒を派出所に届ける姿を槇塚台郵便局から見た者がいるが、そのとき派出所に警官はいなかったという証言もある。ここまで言ったらわかるはずだろう——。

刑事の言い分には無理があった。そもそも、警察が捜索したという店の休日は、いつもガレージを閉めており中に入れない。またMさんが封筒を届け出た6日は風が激しく、警察が証拠として提出した封筒の紙片が店の敷地内に落ちたままになっているのはあまりに不自然。当日Mさんを見たという証言も、目撃場所の郵便局と派出所はほぼ真裏に位置しており歩道を見渡せるわけがなかった。

完全な捏造、でっち上げだった。が、妻がネコババをするわけがないと否定する夫に対し部長刑事は「夫婦は他人の始まりや。よめはん、何しとるかわからへんで」と脅した。

堺南署は何度もMさんを事情聴取し、自白を迫った。が、彼女が身に覚えのない罪を告白するはずもない。捜査員の一部もわかっていたに違いない。彼女がシロであることは明白。自分たちは上の方針に従い、ありもしない犯罪を作り上げようとしているだけ。それでも、彼らはMさんを逮捕すべく、取り調べで厳しく追及する。

しかし、警察の「努力」は無駄に終わった。当時、Mさんは妊娠中で、かかりつけの産婦人科医に留置の承諾を得ようとしたが、Mさんがかつて切迫流産しかけたことを承知していた担当医は、警察のこの申し出を断固拒否。また、大阪地方検察庁堺支部も、Mさんが着服したのならば、わざわざ警察に連絡することが全く矛盾していると指摘、堺南署の逮捕状請求を却下した。

そして、この頃、読売新聞が社会面で事件を大きく扱っていたことで、ようやく事態を把握した大阪府警は、事件を堺南署から横領など知能犯事件を担当する本部捜査第二課に移管させ、改めて捜査を開始。結果、3月25日、N巡査が15万円を着服し、後に証拠隠滅のため紙幣を焼いていたことを発表する。

N巡査は懲戒免職となり、業務上横領罪で大阪地検に送致されたが、起訴猶予という甘い処分に終わった。また、Mさんの家族が大阪府警に対して起こした慰謝料請求の民事訴訟では、裁判で詳細が明らかになることを恐れた大阪府警が示談を申し出て、慰謝料200万円をMさん側に支払うことで和解が成立している。

「その時間は留守」

当初は「ニセ警官」の存在を疑う報道も
拾った15万円蒸
▲頼まれた店

桶川ストーカー殺人、上尾警察署「告訴状改ざん」事件

動機は「捜査が面倒だったから」

1999年10月26日、埼玉県桶川市のJR桶川駅前で、当時21歳の女子大生Sさんが刺殺された。事件の発端を作ったのは、Sさんに執拗にストーカー行為を繰り返していた元交際相手の男性K（同27歳）で、殺害の実行犯はKが経営していた風俗店の男性店長。その他、Kの兄、殺害時の運転役、見張り役の男性3人が事件に荷担していた。

Kは2000年1月に自殺し、犯行グループの連中も裁判で懲役15年から無期懲役に処されている。憎むべきは凶悪・卑劣な加害者であることは言うまでもない。が、この事件では、事前に何度も相談に訪れていた被害者を適当にあしらった挙げ句、被害者から出されていた「告訴」を勝手に「届出」に改ざんした埼玉県上尾警察署の責任も大問題となった。

埼玉県大宮市のゲームセンターでSさんとKが知り合ったのは、事件が起きる9ヶ月前の1999年1月のこと。Kは無許可でファッションヘルス形態の風俗店を6～7店舗経

営する裏社会の実業家だったが、職業を外国車のディーラーと偽り、Sさんとの交際を開始した。

2人の関係が一変するのは交際が始まって2ヶ月が経った同年3月20日のこと。それまでにも、高級なブランド品の衣服などをプレゼントするKに違和感を覚えていたSさんはこの日、Kのマンションを訪れ、室内にビデオカメラが設置されていることに気づく。これを問いただすと、Kは態度を急変させSさんに暴力をふるい「俺に逆らうのなら、今までプレゼントした洋服代として100万円払え。払えないならソープに行って働いて金を作れ。今からおまえの親の所に行くぞ。俺との付き合いのことを全部ばらすぞ」と脅迫。以降、Sさんの行動を束縛

被害者はJR桶川駅西口のショッピングセンター「おけがわマイン」の周辺で殺害された

し始める。

Kの本性を知ったSさんは恐怖に怯え、当初は友人にしか話していなかったKのことを、6月14日になって母親に相談。ところが、この日の夜、Kと、Kの兄、もう1人を加えた3人がSさん宅を訪れ「お宅の娘に物を買って貢いだ。精神的におかしくされた。誠意を示せ」などと1時間以上にわたって恫喝する。深刻な事態に、両親がSさんを連れ初めて上尾署を訪れたのは、翌15日のことだった。

応対した署員の態度は極めて不誠実なものだった。Kとの電話でのやり取りを録音したテープを聞かせ被害の実態を伝えたところ、「これは事件か民事の問題か、ぎりぎりのと

事件を担当した埼玉県上尾警察署。
写真は事件から9年後の2008年に建てられた新庁舎

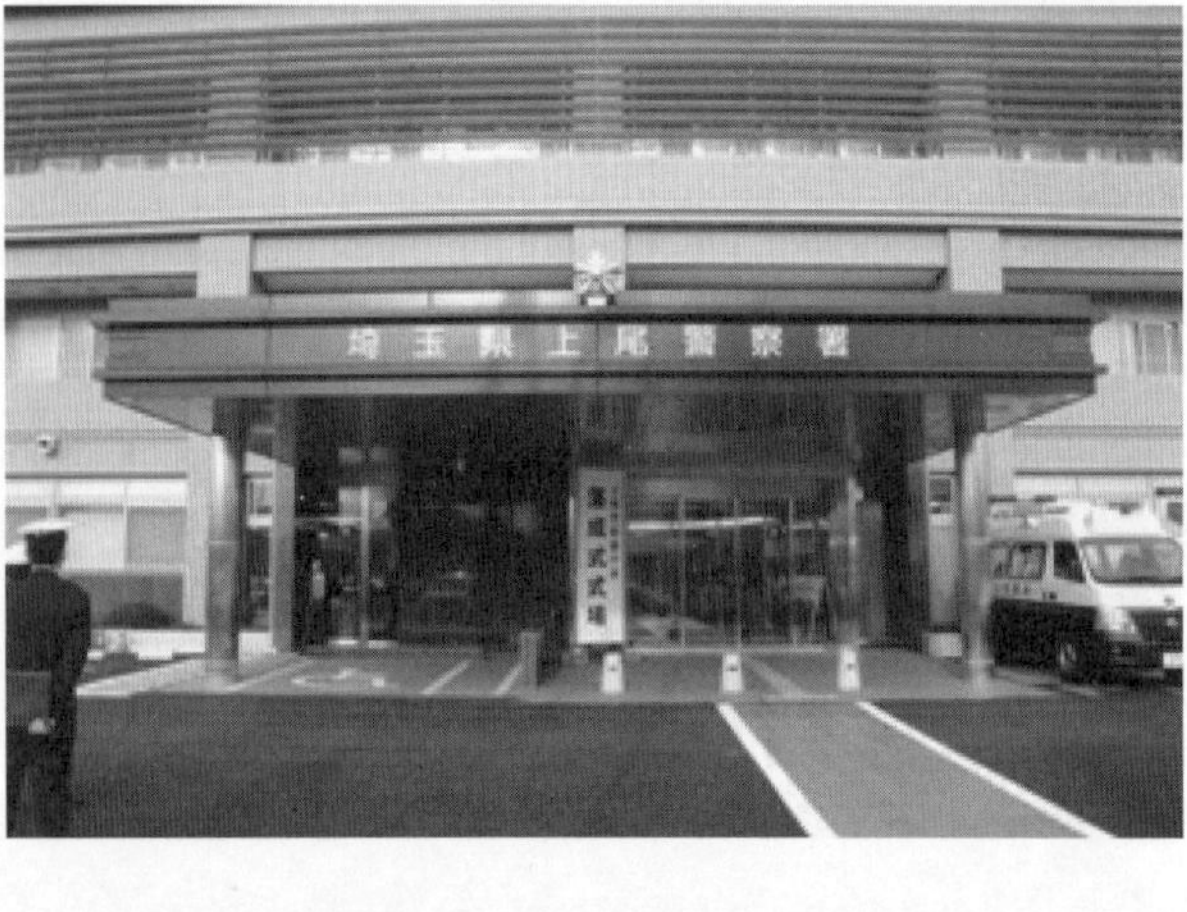

ころだね。3ヶ月ほどじゃ相手の男も一番燃え上がっているところだよね」などと返答。やがて、Sさんの自宅周辺、大学付近、父親の会社に、中傷する大量のビラが撒かれるようになったときも、1日見張るだけで終了。告訴がなければ捜査はできないとの言葉に、Sさんが告訴状の提出を決意するも、警察は「試験が終わってからでもいいんじゃないですか」などと難色を示し、結局、告訴状を受理するまでに1ヶ月半もの時間をかけた。

その後、父親の会社に中傷ビラが大量に送付された際も、警察はビラを見て「これはいい紙を使っていますね。手が込んでいるなぁ」と笑うばかり。自宅前での嫌がらせについて通報を受け車のナンバーを知らされても一切対応しなかった。

上尾署が事態を深刻に考えていなかったのは明らかで、8月には上司の命を受けた捜査員がSさん宅を訪れ「告訴を取り下げて、被害届に変更してほしい。告訴するならまたすぐにできる」と説得にかかる。被害届なら事件を迅速に処理する義務がなくなるからだ。が、いったん取り下げた告訴状の再告訴は不可能。警察はウソをついてまで説得を試みたが、Sさんの母親は頑なに拒んだ。

これを受け、上尾署は決定的な違法行為に手を染める。Sさんから受理した告訴状を、無断で被害届に改ざんしたのだ。後に上尾署が語った「報告義務や捜査が面倒だと思い、告訴を減らしたかった」という改ざんの動機には呆れて言葉もない。

殺害事件から半年後の2000年4月、埼玉県警は書類改ざんを正式に認め謝罪し、これに直接関わった上尾署刑事二課長、同係長、同課員の3人を懲戒免職にすると同時に彼らを虚偽有印公文書作成容疑で起訴。同年9月に出た判決は執行猶予3年の懲役刑の有罪判決だった。

　同年11月24日、事件を受け国会でストーカー規制法成立。翌12月、被害者遺族は埼玉県（埼玉県警）に1億1千万円の

2017年12月16日、「ザ！世界仰天ニュース」（日本テレビ系）で事件直後に笑顔で記者会見に応じる上尾署幹部の様子が放送され、改めて同署に大きな非難が寄せられた

国家賠償請求訴訟を起こしたが、埼玉地裁は警察の捜査怠慢については賠償責任を認めた（550万円）ものの、遺族が求めた捜査怠慢と殺害の関連については不認定。その後、高裁も地裁判断を支持し、2006年8月30日、最高裁が上告を棄却したことで判決が確定した。

城東警察署覚醒剤所持捏造事件

3人の現職警察官が無実の罪をでっち上げ

2016年公開の映画「日本で一番悪い奴ら」は、綾野剛扮する北海道警察の警察官が裏社会に情報提供者（通称S）を抱えることで次々と銃器を押収するなど「道警のエース」と呼ばれるまでに活躍する一方、警察組織の裏金作りに荷担したり、自作自演で薬物密輸を摘発、最後は自らも覚醒剤に手を出し逮捕される衝撃のドラマだ。

主人公のモデルとなった実在の道警本部の元警部・稲葉圭昭氏は、2011年に出版した著書『恥さらし 北海道警 悪徳刑事の告白』の中で、新米時代を振り返り次のように記している。

〈覚醒剤の所持で逮捕すると10点。それが5グラム以上だとプラス5点。2人組で捜査するため、ペアで月30点以上挙げるのがノルマになっていて達成できないと罰則もあった〉

警察が摘発件数を稼ぐため、職員にノルマを課していることは有名な話。稲葉氏もまたノルマ達成のため違法な捜査に手を染めていったのだが、この警察社会独特のシステムが最悪の形で表面化したのが、1997年、警視庁城東警察署で起きた覚醒剤所持捏造事件である。

同年4月14日未明、東京都江東区北部を管轄する警視庁城東警察署の巡査長が自ら入手した覚醒剤0・1グラムを、1人の巡査を共犯に、JR亀戸駅近くで男性路上生活者のリュックサックに入れ、男性を任意同行した。が、十分な証拠が揃わず不起訴処分となる。このとき、上司は「もっとしっかりしたものをやれ」と言ったというから、捏造は上も承知していたものと思われる。

叱咤された巡査長は、今度は別の巡査長の協力を得て、4日後の4月18日、江東区の駐車場に停められていた共犯の巡査長の知り合いの乗用車内に覚醒剤0・3グラムを置き、車の持ち主を逮捕する。しかし、捜査によって事件は、その前の任意同行した路上生活者の件とともに完全なでっち上げであることが判明。特別公務員職権濫用と覚せい剤取締法違反（所持）の疑いで主犯の巡査長と、共犯の警察職員2人が逮捕・起訴され、全員が懲戒免職となった。

3人の現職警官が無実の罪を捏造しようとした前代未聞の事態。裁判では「国民の信頼を壊すもので社会に与えた影響は大きい」として、主犯の巡査長に懲役3年の実刑判決が下った（他2人は執行猶予付きの有罪判決）。

前代未聞の事件の舞台となった警視庁城東警察署

高知白バイ衝突死亡事故「スリップ痕」捏造疑惑

そのときバスは止まっていた

２００６年３月３日14時30分頃、高知県の仁淀《によど》中学の卒業遠足で、生徒と教員計25人を乗せたスクールバスに白バイが国道56号の交差点で衝突し、白バイを運転していた高知県警交通機動隊の男性巡査長（当時26歳）が死亡した。同県警はスクールバスが安全確認を怠ったことにより発生した事故として、バスの男性運転手（同59歳）を業務上過失致死容疑で逮捕・起訴する。

裁判で検察側は、バスが国道の中央分離帯に向けて低速で進行中、白バイに気づかないまま白バイと衝突し、急ブレーキをかけ白バイを約３メートルひきずりながら進んで停止したと主張。決定的な証拠として、実況見分時に撮影したとされるバスのスリップ痕が写った写真を提出した。これはバスが急ブレーキをかけた際にできたものだという。

また、当日、反対車線を走行し、事故の瞬間を目撃した別の白バイ隊員が検察側の証人として出廷し、「目視でバスは時速10キロ、白バイは法定速度の時速60キロ以内だった」

と証言。高知地裁は「常日頃から目視の訓練をやっている白バイ隊員の証言は信用性がある」と判断し、2007年6月、元運転手に禁錮1年4ヶ月の実刑判決を下す。このとき元運転手は、死亡した白バイ隊員の遺族から約1億6千万円の損害賠償を求める民事訴訟も起こされていた（後に遺族側が取り下げ）。

同年10月、高松高裁は一審で十分な審議がなされたとして、弁護側の控訴を棄却する。翌2008年8月の最高裁判決も上告を退け、刑が確定。加古川刑務所（交通刑務

警察が衝突を再現した写真

実況見分の様子。裁判所は、衆人環視のなか、
意図的にブレーキ痕を作ることなど到底不可能としている

所）に収監された元運転手は、身元引受人がいるにもかかわらず仮釈放が認められず、満期で刑を終え2010年2月、出所した。

安全確認を怠った過失と判断されたこの死亡事故は、えん罪の疑いが濃いとする見方が多い。元運転手は事故直後から、衝突の瞬間、バスは動いていなかったと主張。バスに乗っていた中学生も「停止していたと思います」「中央分離帯でずっと待っていて、そろそろ行けるかなって思っていたところに白バイが当たった」と証言し、さらに事故の瞬間、バスのすぐ後ろの車に乗っていた中学校の校長が「バスは止まっていました。私の目の前で見えました」と明確に述べている。が、裁判所は「第三者であるということだけで、その供述が信用できるわけではない」と判断する。

有罪の決め手となったスリップ痕についても、

警察の捏造が疑われている。事故当時、現場には警官約50人、白バイ約20台が来て騒然としていた。元運転手は土佐警察署の警官から現行犯逮捕され、校長も証人として警察署に連れていかれており、関係者がいない状態で警察が実況見分を実施。スリップ痕は、このとき捏造されたものと疑われている。

検察側が提出した証拠の写真を分析したベテラン自動車事故鑑定人の石川和夫氏は「タイヤにはどの車種にも必ず溝があるが、写真にはその溝の痕が1本も写っていない。証拠の写真はいかにも不自然で、スリップ痕

検察が裁判で提出したバス右タイヤのスリップ痕の写真

は誰かが何かの目的で、意図的に描いたものと考えざるをえない」としたうえで「スリップ痕は路面の凸面だけに付くのに、写真には凹んだ乙面にも染みわたるように色が付いている。液体を塗ったからだ」と断言。実際に元運転手の支援者が行った実験によると、飲料水を用いてブラシで地面をこすったところ、写真のような痕が容易に作れたという。

裁判で弁護側は「バスは動いていて、急ブレーキをかけた」とする警察・検察側の主張には疑義があり、提出された証拠は捏造された可能性が高く、当時現場周辺では違法な白バイの高速走行訓練が行われており、事故は自損事故であると主張。控訴

高知県警はテレビカメラの前で、捏造を強く否定

審判決後の2008年3月、元運転手は高知地検に被告訴人不詳のまま証拠偽造罪で刑事告訴し、出所後の2010年10月には再審を請求。翌2011年8月、裁判で証言した白バイ隊員を偽証罪で告訴した。が、訴えはことごとく認められず、2018年5月、最高裁は再審請求を棄却。元運転手は現在も無罪を訴え続けている。

被害者の正論に激高し「暴行！ 暴行！」と無線連絡

築地警察署女性巡査による虚偽通報・不当逮捕事件

２００７年10月11日午前8時頃、東京・新宿で寿司店を営む二本松進氏（当時59歳）が中央区の築地市場（２０１８年10月営業終了）で仕入れ仕事を終えた後、付近の路上に停めていた自家用車に戻った。糖尿病の関係で視力の悪い同氏は5年前から運転をやめており、その日もハンドルは妻が握り、運転席で夫を待っていた。

妻が車を発進させようとしたところで、前方に巡回中の警視庁築地警察署交通課の女性巡査A、Bの2人が立っていることに気づいた。二本松氏はてっきり駐停車違反の取り締まりだと思い「車内には妻がいます、すぐ発車します」と前をあけるよう促したが、Aはしばし無言の後、「ここは法定禁止エリアだ」と告げた。

被害者が不当逮捕され、勾留・取り調べを受けた警視庁築地警察署

同氏には意外な答えだった。もう20年も築地市場に通っているのに、路駐を咎められたことなど一度もない。現場には仕入れや集配などの車が多数路上停車しており、ドライバーは買い出しなどで車内にいない。それをいちいち取り締まっていては業者の作業がはかどらないため、築地署と市場の間で杓子定規な交通取り締まりを行わない協定があることも同氏は知っていた。しかも、運転席にはいつでも発車できるよう妻がいるので、そもそも道交法違反にも当たらない。なぜ今日に限って？　なぜ私の車だけ？

当然の疑問にもAは高圧的だった。

「仕入れなら問題ないが乗用車はダメだ！」

「うちも仕入れだ。後部座席を見てくれ」

「法定禁止エリアだ！」

激しい押し問答に、周囲にはすでに30人近くの野次馬が集まっていた。

公衆の面前で正論を言われたことに、よほど腹が立ったのだろう。A巡査はB巡査と目配せし、いきなり「免許証を出せ！」と口走り、黒いバッグを二本松氏に突き付けてきた。これは、警察官が公務執行妨害で意図的に逮捕するための常套手段である。

同氏は「運転者でもない私がなぜ免許証を出さなければならないのか」と、これまた正当に反論したが、Aはますます興奮をエスカレートさせ、無線機を取り出し叫んだ。

「暴行！　暴行！　暴行を受けています」

明らかな虚偽通報である。

ほどなく数台のパトカーが現場に到着、駆けつけた警官らが二本松氏を羽交い締めにして現行犯逮捕した。このとき、現場の野次馬は100人近くにまで膨れ上がっていた。

築地署に連行された同氏の逮捕容疑は「女性警官の胸を7〜8回突くなどの暴行を加え、車両のドアを閉める際に女性警官の右手にドアを強くぶつけるなどして、職務執行を妨害し、暴行により全治10日間の傷害を負わせた」という無茶苦茶なものだった。

その後、19日間にわたって勾留された同氏は、築地署員（対応したのは暴力団員などを取り締まる組織犯罪対策課だった）と検察官から、激しい取り調べと自白の強要を受ける。

「自白しないといつまでも勾留され店が潰れる」「明日の新聞は寿司名店の主人が女性警官に暴行となる」「起訴されて長いこと刑務所に入ることになる」「（女性警官を）押した回数を少なくしてもいいから自白したらどうか」

当初は頑なに無実を主張していた二本松氏だったが、連日の取り調べに耐えきれず、ついに「（女性警官の）黒カバンに触れ、巡査の胸に振動が伝わったかもしれず申しわけありませんでした」という虚偽の自白調書へ署名させられることになる。

二本松氏は最終的に不起訴処分となり釈放されたが、怒りが収まるはずもなく、

2009年10月、不当逮捕と長期の勾留で被った精神的苦痛などについて、国（検察庁、裁判所）と東京都（警視庁）を相手に国家賠償訴訟を起こす。

審理は6年半にも及び、2016年3月、東京地裁は「暴行のいずれについても、明確さに欠ける部分のほか、看過することのできない変遷または齟齬があったり、仮にその証拠関係のとおりであったとすればそれ自体が不自然であったり疑問が生じる部分を多く含んでいる」と判断、警察官らの証言の信用性を否定し、東京都に賠償金240万円を支払うよう命じた（同年11月の東京高裁も一審判決を支持）。当然の判決とはいえるが、国や自治体への訴訟で勝利を勝ち取るのは極めて稀。そこには、調書の精査と尋問において警察側の矛盾を法廷で暴露したことに加え、二本松氏の妻が自ら事件の目撃者4人を見つけ、暴行など一切なかったとの証言を得られたことも大きく影響していた。

ちなみに、同氏は事件を作り上げた女性警察官2人を含む築地署の関係者6人を虚偽告訴罪で東京地検に告訴していたが、捜査は一切行われることなく、えん罪の加害者全員が不起訴となった。

2016年3月18日、一審判決が出た際のネットニュース。写真中央が記者会見に応じる二本松氏

厚生労働省の局長を犯人にでっち上げるため文書作成の日付を捏造

大阪地検特捜部主任検事証拠改ざん事件

この事件のそもそものきっかけは2004年、「凛の会」（現・白山会）なる団体が郵便制度を悪用した金儲けを企んだことにある。

月刊誌などの定期刊行物を発送するには、通常1通120円がかかる。が、郵便法に定められた障害者団体のための割引制度「心身障害者用低料第三種郵便物」を使えば1通8円で出すことが可能。同会はこの制度で、自分たちが発行する会報を送る際に企業の宣伝用ダイレクトメールを同封することを目論み、紳士服販売店、健康食品通販会社などDMを送りたい会社に声をかけ、正規郵送代との差額と広告費で多額の利益を得ようと考えた。

そこで、凛の会は厚生労働省から障害者団体の認可を得るため、証明書の発行を申請する。この担当となったのが同省の社会・援護局障害保健福祉部企画課予算係長だった。証明書を発行するには6人以上の上司の決裁が必要。しかし、担当の係長は当時、初めての予算の作成に追われ案件を先延ばしにする。

1日でも早い証明書の発行を迫る凛の会に対し、係長は徐々に追い詰められ、ついに不正行為に手を染める。他の職員のいない隙を見て、文書の発行権限を持っていた企画課の課長・村木《むらき》厚子《あつこ》氏の印鑑を勝手に押し、独断で証明書を発行したのである。


5年後の２００９年、この偽造証明書を使った郵便不正事件が発覚。捜査に乗り出した大阪地検特捜部が、２００６年から２００８年にかけて２１１億円もの不正な利益を得たとして凛の会関係者など10人を郵便法違反で逮捕する。

同時に、特捜部は証明書の発行は係長の独断ではなく当時課長だった村木氏の

村木氏逮捕を報じるNNNニュース。同氏の疑いを晴らす無罪判決が出たのは逮捕から454日後だった

指示があったものと睨み、2009年6月、虚偽公文書作成・同行使の容疑で同氏（当時、社会・援護局の局長。53歳）を逮捕。7月、大阪地方裁判所に起訴する。

村木氏には全く身に覚えがなかったが、文書に自分の公印が押されているのも事実。ここから彼女の長い闘いが始まる。

村木氏は検察の取り調べで、一貫して事件への関与を否定した。が、検察は自らが作り上げた村木氏主犯のストーリーにそって、自白を迫り続ける。そんなある日、同氏は重大な証拠に気づく。検察の証拠が開示されるたび、弁護士を介してコピーを届けてもらっていたのだが、その中に、明らかに疑わしい文書があったのだ。

検察は、2004年6月8日に郵政公社から障害者団体の証明書を提出するよう指摘された凛の会が、村木氏に証明書の作成を依頼。2日後の10日に郵政公社に文書を提出したものと主張していた。つまり、事件が村木氏の指示であれば、6月8日から10日の間に証明書が作られたことになる。

しかし、村木氏がそのとき目にしたのは、検察が実行犯である係長の自宅から押収したフロッピーディスクに保存されていた6月1日付の証明書だった。検察の主張と完全に矛盾していた。

2009年11月、4度目の申請でようやく保釈された村木氏は10ヶ月後の2010年9

月10日、大阪地方裁判所で無罪判決を受ける。ある政治家に依頼され、村木氏に証明書の作成を指示したと供述していた厚労省の部長が検察側の証人として出廷したものの公判で供述を翻し、同じく証人の係長も、取り調べ時に証明書の偽造は自分の独断によるものと供述したが調書にはそのように書かれず、間違いを指摘しても検察は一向に修正しなかったと証言した。

その後、検察による前代未聞の捏造が明らかになる。係長が作成した証明書の日付が2004年6月1日だったことを知った事件の担当者・前田恒彦主任検事が、村木主犯のストーリーに辻褄を合わせるため、故意に文書の作成日付を6月1日から6月8日に書き換えていたことが発覚したのだ。

2010年9月21日、最高検察庁は証拠物件のフロッピーディスクを改ざんしたとして証拠隠滅の容疑で前田検事を逮捕。10月1日には、故意の改ざんを知りながら、これを隠した犯人隠避の容疑で、前田検事の上司であった大阪地検元特捜部長と元副部長を逮捕する。現職の検事3人が担当事件の職務執行に関連して逮捕されるという極めて異例な事態に、後に事件は検察庁のトップである検事総長の辞任にまで発展した。

証拠のフロッピーディスクを改ざん、逮捕された前田恒彦元主任検事。裁判では懲役1年6ヶ月の実刑判決が下った

藤沢・痴漢えん罪事件「容疑者写真すり替え」疑惑

犯人として逮捕された男性とは別人物の画像を証拠品に

2010年4月、JR藤沢駅に停車中の東海道線電車内で、女子高生の体を触ったとして、当時50代の男性が神奈川県警の警部補に現行犯逮捕された。男性は取り調べで一貫して無罪を主張したが、一審の神奈川地裁は、唯一の目撃者で男性を逮捕した警部補の供述をもとに、懲役4ヶ月・執行猶予3年の有罪判決を下す。しかし、2012年4月の東京高裁判決は逆転無罪。このとき問題になったのが、警部補が追跡中に撮影したとされる犯人の画像で、高裁はこれを「男性とは別人である疑いが濃厚」と判断したのだ。

男性の疑いが晴れ、事件は終結するはずだった。が、2013年2月、男性の妻が警部補を証拠隠滅や虚偽有印公文書作成などの容疑で横浜地検に告発する。妻の主張によると、警部補は、追跡中の「犯人」の後ろ姿を自らのカメラ機能付き携帯電話で撮影したとして、写真を捜査報告書に添付。この写真が自分の夫とは全くの別人物で、警部補の捏造によるものだという。また、報告書に添付された藤沢駅の防犯カメラの録画画像の接写写真についても「男性も被害者も写っていない写真を、当時の状況を撮影した証拠写真と偽って提出した」と訴えた。

実際、高裁の審理でも、弁護側の依頼で鑑定を行った東京歯科大学の教授が「写真に写っているとされた容疑者、被害者はいずれも別人。写真を精査しておらず、証拠としては不十分。このような写真が刑事裁判の証拠として提出されたことに疑問を感じる」と指摘。高裁も「専門的知識と十分な経験のある鑑定者が、合理的な手法を用い、導き出した鑑定結果は十分に信用できる」と別人と認定した理由を説明し、一審有罪認定の大きな根拠となった警部補の証言について

事件の舞台となったJR藤沢駅

も「信用性に重大な疑いを入れる余地がある」と述べている。

警部補が証拠の捏造を働いた疑いは濃厚だ。が、妻の告発を受けた横浜地検は２０１４年６月、嫌疑不十分として警部補を不起訴処分とする。妻はこの裁定に納得がいかず、検察審査会に審査を申し立てるも、２０１５年５月、横浜第二検察審査会は「警察官が捜査報告書などを偽造したと立証することは困難」として、不起訴処分を相当と議決。実に不可解な形で事件は終わりを遂げた。

▶主要参考図書

『関東大震災』文藝春秋

『死刑捏造　松山事件・尊厳かけた戦いの末に』筑摩書房

『どん底　部落差別自作自演事件』小学館

『警察官ネコババ事件 ──おなかの赤ちゃんが助けてくれた』講談社

『科学者の不正行為 －捏造・偽造・盗用－』丸善

『論文捏造』中央公論新社

『ツタンカーメンと出エジプトの謎』原書房

▶主要参考サイト

USA Today／The New York Times／The Washington Post／CNN／CBC News／BBC News／DAILY NEWS／THE TIMES／The Guardian／Aol.／Nature／Science／DAILY STAR／EL PAIS／La Vanguardia／WHALE OIL BEEF HOOKED／KBS NEWS／AFPBB NEWS／Slide Player／NHK／朝日新聞／読売新聞／毎日新聞／産経WEST／AERA dot.／exciteニュース／J-CASTニュース／MAG2NEWS／Yahoo! JAPAN／SANSPO.COM／ニュース速報Japan／BuzzFeed News／HUFFPOST／朝鮮日報／東亜日報／東洋経済日報／DISTRACTIFY／YONHAP NEWS AGENCY／KCIT／Pressian／部落解放同盟中央本部／日刊サイゾー／AbemaTIMES／TOCANA／NEWSポストセブン／ウィキペディア／NAVERまとめ／ITmedia／AMENOTE／COURRiER JAPON／TRAICY／DictiOnary Of／MATOMEDIA／雑学ミステリー／RONZA／TABIZINE／シネマトゥデイ／後味の悪い話まとめサイト@2chオカルト板／ナゾロジー／マリモッコリのブログ／吉村外喜雄のなんだかんだ

その他、多くのサイト、資料を参考にさせていただきました。